Efésios é a carta da igreja. É a síntese do
acerca do povo de Deus. Povo eleito, salvo, único e santificado para uma missão. Bernardo Cho identifica a partir do texto quem é esse povo e o que ele faz. Com satisfação e alegria recomendo a leitura deste magnífico livro.

ARIVAL DIAS CASIMIRO
Pastor titular da Igreja Presbiteriana de Pinheiros, em São Paulo

Que alegria e privilégio escrever este endosso ao excelente trabalho de Bernardo Cho. A obra não apenas oferece uma explicação clara e profunda do tema, mas também traz uma mensagem de esperança e encorajamento para a igreja brasileira. Seu livro é um convite à reflexão e à ação, lembrando-nos que, apesar das diferenças e desafios enfrentados, somos chamados a ser a expressão viva do amor, da graça, da justiça e da paz de Deus em nosso país.

GUSTAVO BACHA
Pastor titular da Igreja Presbiteriana de Vila Mariana, em São Paulo

Bernardo Cho possui a habilidade peculiar dos grandes mestres: traduzir conceitos profundos e rebuscados em linguagem acessível. Isso fica evidente neste livro, uma exposição mais que bem-vinda da epístola de Paulo aos efésios. Os teólogos perceberão o brilhantismo e a profundidade da abordagem de Cho nas entrelinhas, e o público em geral se deliciará com uma leitura abençoadora e edificante. Um grande serviço prestado à igreja de fala portuguesa.

ISAQUE SICSÚ
Pastor e fundador da Igreja Batista Urbana, em Santo André (SP)

Não é novidade que conheço Bernardo desde a infância. Nessa relação, tive o privilégio de ser testemunha de seu novo nascimento, de participar de algum modo de seus primeiros passos em Cristo e de celebrar, mesmo que à distância, suas assombrosas conquistas acadêmicas. Num momento em que estávamos sendo levados a plantar uma igreja em São Paulo, Bernardo nos ajudou a responder a algumas indagações acerca da essência e da razão de ser da igreja, expondo Efésios a nosso "grupo base" e, depois, a toda a comunidade. Hoje, o estudo é requerimento básico em nosso curso de formação da membresia. Fico feliz, portanto, em recomendar o autor e irmão em Cristo e em endossar o conteúdo desta obra, que muito tem a dizer acerca da gloriosa realidade encontrada na igreja, a quem o Senhor deu a plenitude daquele que a tudo enche.

JULIANO SON
Fundador do Instituto Livres e pastor da Livres Church, em São Paulo

Ajudar o leitor a entender a amplitude e profundidade da ressurreição, do poder recriador da graça em Cristo, propondo caminhos para uma vivência contemporânea com sabedoria e fidelidade, é sempre tarefa desafiadora. Com sua extraordinária habilidade exegética e hermenêutica, e seu cuidadoso olhar pastoral, Bernardo Cho compartilha conosco o coração e a essência da igreja de Jesus Cristo.

NELSON BOMILCAR
Músico, pastor, escritor e teólogo

A obra proposta por Bernardo visa atender a uma necessidade premente da igreja brasileira. Trata-se de uma visita mais demorada aos fundamentos que a sustentam. Para isso, nada melhor que o texto bíblico escolhido pelo autor. Com linguagem simples mas não superficial, Bernardo vai desenrolando cuidadosamente a carta de Paulo à igreja de Éfeso, como um hábil mestre faria com seu pergaminho. Quem tem olhos... leia.

RICARDO BITUN
Teólogo e pastor da Igreja Manaim, em São Paulo

Recriados pela graça

O poder da ressurreição de Cristo na vida da igreja

BERNARDO CHO

Copyright © 2023 por Bernardo Kyu Cho

Os textos bíblicos foram extraídos da *Nova Versão Transformadora* (NVT), da Tyndale House Foundation, salvo indicação específica.

Todos os direitos reservados e protegidos pela Lei 9.610, de 19/02/1998.

É expressamente proibida a reprodução total ou parcial deste livro, por quaisquer meios (eletrônicos, mecânicos, fotográficos, gravação e outros), sem prévia autorização, por escrito, da editora.

Edição
Daniel Faria

Revisão
Ana Luiza Ferreira

Produção
Felipe Marques

Diagramação
Marina Timm

Capa
Douglas Lucas

CIP-Brasil. Catalogação na publicação
Sindicato Nacional dos Editores de Livros, RJ

C473r

    Cho, Bernardo
      Recriados pela graça : o poder da ressurreição de Cristo na vida da igreja / Bernardo Cho. - 1. ed. - São Paulo : Mundo Cristão, 2023.
      208 p. ; 21 cm.

    ISBN 978-65-5988-247-2

    1. Espiritualidade. 2. Bíblia. N.T. Efésios. 3. Vida cristã. I. Título.

23-85364
                    CDD: 227.5
                    CDU: 27-248.52

Gabriela Faray Ferreira Lopes - Bibliotecária - CRB-7/6643

Publicado no Brasil com todos os direitos reservados por:

Editora Mundo Cristão
Rua Antônio Carlos Tacconi, 69
São Paulo, SP, Brasil
CEP 04810-020
Telefone: (11) 2127-4147
www.mundocristao.com.br

Categoria: Espiritualidade
1ª edição: setembro de 2023

*Para os presbíteros Simon, Natanael, Sae Won e Paulo,
e os obreiros Leandro, Davi, Rachel e Ian,
pelo serviço à humanidade recriada pela graça
que se reúne na Igreja Presbiteriana do Caminho.*

Sumário

....

Introdução: Paulo e a igreja de Éfeso   9

PARTE I — O QUE É A IGREJA?

1. Mais ricos do que pensamos: As bênçãos   31
que já temos em Cristo
Efésios 1.1-14

2. Ponto, ponto, ponto: Lentes novas   49
para enxergar a realidade
Efésios 1.15-23

3. Poemas a partir de ruínas: Salvos da morte   61
para sermos obras-primas
Efésios 2.1-10

4. Um povo de *shalom*: Representantes da   73
nova criação de Deus
Efésios 2.11-22

5. O mistério pelo qual vale a pena sofrer: 85
O testemunho de Paulo
Efésios 3.1-13

6. Cheios da plenitude de Deus: A vida de   99
Cristo entre os crentes
Efésios 3.14-21

PARTE II — O QUE A IGREJA FAZ?

7. Unidade (com Cristo, com a Verdade,   109
com o Corpo): A vocação da igreja
Efésios 4.1-16

8 RECRIADOS PELA GRAÇA

8. Imitadores de Deus: Nossos 131
relacionamentos à luz do evangelho
Efésios 4.17—5.2

9. Separação das obras das trevas: 145
Os novos hábitos da nova criação
Efésios 5.1-20

10. Todos sujeitos a Cristo: Unidade no casamento 159
Efésios 5.15-33

11. Todos sujeitos a Cristo: Unidade no lar 177
Efésios 6.1-9

12. Permanecendo firmes no evangelho: 187
A verdadeira batalha da igreja
Efésios 6.10-24

Sobre o autor 203

Introdução:
Paulo e a igreja de Éfeso

....

No verão de 2017, um ano após meu retorno ao Brasil, minha família e eu tivemos de fazer uma viagem rápida ao Rio de Janeiro. Tendo sido alertado por um colega sobre a necessidade de obter a validação dos títulos acadêmicos que eu havia recebido no exterior, descobri que a única instituição habilitada pelo MEC naquela época a "carimbar" um dos meus diplomas era a PUC-RJ. Como meus filhos conheciam a Cidade Maravilhosa só de ouvir falar, resolvemos aproveitar a ocasião para tomar todo o sol que havíamos perdido nos quase quatro anos em que moramos na Escócia. E não foi preciso sequer aterrissarmos no Aeroporto Santos Dumont para entender por que a capital carioca é tão famosa. Pouquíssimas paisagens no mundo se comparam à justaposição do Corcovado de um lado, do Pão de Açúcar de outro e da Baía de Guanabara adiante no horizonte. Um cenário realmente estonteante. Ainda no avião, tivemos de dar razão aos fluminenses por seu orgulho daquela cidade. O Rio de Janeiro de fato continua lindo. Por mais complexa que possa ser a vida ali, se eu fosse um fluminense, estaria consciente de viver em um dos lugares mais belos do mundo.

Semelhante maravilhamento teria acometido qualquer pessoa que adentrasse Jerusalém enquanto o templo permanecia intacto (seja antes ou depois do exílio), ainda que por

10 RECRIADOS PELA GRAÇA

motivos diferentes. A casa de Yahweh era uma das principais razões de orgulho para os judeus. Acreditava-se que ali a própria presença do Deus de Israel fazia morada. E ali todas as nações da face da terra teriam um vislumbre da glória do Criador. O templo era desse modo a representação da fidelidade do Deus de Israel, o símbolo que alimentava a esperança do povo pela restauração de todas as coisas. Ver o santuário despontando sobre o monte a distância indicava que o esforço da longa peregrinação até Jerusalém não tinha sido em vão. "Alegrei-me quando me disseram: 'Vamos à casa do SENHOR'" (Sl 122.1), diz o salmista em sua jornada de ascensão ao templo. E até mesmo os discípulos de Jesus, admirados com a beleza do edifício enquanto caminhavam pelo pátio externo, chamaram a atenção de seu mestre para a grandeza daquela estrutura: "Mestre, olhe que construções magníficas! Que pedras impressionantes!" (Mc 13.1 e paralelos). Ser um judeu de Jerusalém na Antiguidade era, entre muitas outras coisas, estar consciente da proximidade de Deus.

E não teria sido diferente com o viajante que chegava a Éfeso. Uma das cinco maiores cidades do Império Romano — a mais importante da Ásia Menor, região oeste do que hoje é a Turquia —, a proeminência de Éfeso na Antiguidade não se devia exclusivamente a seu tamanho ou sua localização geográfica, mas sobretudo a seu *status* de "cidade-templo". Éfeso atraía a admiração de todos por servir de "guardiã" de um dos maiores locais de adoração pagã do mundo antigo, contado entre nada menos que suas sete maravilhas: o templo de Ártemis, a grande deusa anatólia associada à lua, mãe da fertilidade. A imponente estátua de Ártemis lembrava todos os efésios de quem possuía real autoridade sobre eles, servindo de fator aglutinador da própria vida naquela cidade. Embora

INTRODUÇÃO **11**

houvesse outros santuários naquele lugar — por exemplo, a Roma e Júlio César (Dio Cássio, *História* 51.20.6-7) —, ninguém superava a "grande Ártemis dos efésios" (At 19.28), cuja imagem, acreditava-se no folclore, havia "caído do céu" (At 19.35). E, dada a imensidão da influência dessa deusa na região, toda a economia girava em torno da parafernália associada a seu culto.[1] Ser um habitante de Éfeso significava, entre muitas outras coisas, preservar o "grande prestígio" de Ártemis (At 19.27).

Podemos até não perceber esse fenômeno em meio aos inúmeros afazeres que a vida moderna impõe sobre nós, mas profundamente sedimentado em nosso coração há sempre um senso de identidade que adotamos do ambiente onde estamos inseridos ou de convicções mais conscientes que abraçamos por nós mesmos. Ainda que consideremos a estátua do Cristo Redentor um monumento sem qualquer influência real sobre nossas decisões, todos nós assumimos uma narrativa, uma visão da realidade e um punhado de crenças que se propõem dar coesão a nossa compreensão de quem somos e do que fazemos. No caso dos habitantes de Éfeso, tudo existia em função do culto a Ártemis. Em Jerusalém e seus arredores, a vida cercava a adoração no templo. E nos dias de hoje, por mais que o Ocidente secularizado negue a existência do divino, todos nós construímos nossa vida sobre valores imateriais que julgamos dar coerência a nossa identidade. Na maioria dos casos, ser um cidadão do mundo contemporâneo é estar atrás de riquezas, fama, influência, sucesso, visibilidade e "relevância".

---

[1] Para mais detalhes e múltiplas referências a fontes antigas, veja David E. Aune, "Ephesus", em *Eerdmans Dictionary of the Bible*, editado por David Noel Freedman (Grand Rapids: Eerdmans, 2000), p. 414-5.

12   RECRIADOS PELA GRAÇA

Mas e a igreja? Será que deve haver diferenças entre os valores que ocupam o centro da imaginação do povo que toma sobre si o nome de Cristo e aqueles de um cidadão típico do mundo de hoje? Quais? Onde a igreja deve encontrar a definição de quem ela é e do que ela faz? O que é, afinal, a igreja, e como ela põe em prática sua identidade?

Essas perguntas podem soar demasiado elementares, mas suspeito que, se eu desafiasse qualquer cristão comum a tentar responder a elas, ouviria algo menos sofisticado e biblicamente coerente do que o que me foi oferecido pelo ChatGPT.[2] De fato, na igreja onde sirvo como pastor, temos recebido pessoas dos contextos mais diversos, confusas e desiludidas quanto ao que significa ser povo de Deus. Alguns chegam até a estranhar o fato de que propomos esse tipo de

---

[2] "O termo 'igreja' pode ter múltiplos significados, dependendo do contexto. Aqui estão algumas interpretações comuns:
1. Edifício: A palavra 'igreja' é frequentemente usada para se referir a uma estrutura física onde ocorrem atividades religiosas e cultos. Esses edifícios são normalmente usados por denominações cristãs e podem variar em estilos arquitetônicos, como catedrais, capelas ou simples casas de reunião.
2. Instituição religiosa: A igreja também pode se referir a uma instituição ou organização religiosa, como a Igreja Católica, a Igreja Anglicana ou a Igreja Luterana. Essas instituições normalmente têm uma estrutura hierárquica com clero, doutrinas religiosas e rituais. Eles servem como uma autoridade central para uma determinada fé e fornecem orientação espiritual, comunidade e apoio para seus membros.
3. Comunidade cristã: Em um sentido mais amplo, a igreja pode se referir à comunidade de cristãos que se reúnem para adorar, estudar textos religiosos e praticar sua fé. Representa o corpo coletivo de crentes que compartilham crenças, valores e tradições comuns. Este conceito de igreja abrange tanto as congregações locais quanto a comunidade cristã global."
(Veja: <https://chat.openai.com/share/7810690b-b673-48d2-ad86-fc6d 6734010f>. Acesso em 29 de junho de 2023.)

questionamento. Diante do oceano de opções disponíveis no mercado religioso da fé evangélica, louco é quem perde seu tempo se perguntando o que define a igreja — faz muito mais sentido e me causa muito menos transtorno consumir o serviço eclesiástico que melhor atenda às minhas expectativas e "potencialize minhas possibilidades". Afinal, a cultura *gospel* já nos convenceu de sua própria definição do que significa fazer parte do povo de Deus: ser igreja é buscar exatamente as coisas que um cidadão típico do mundo contemporâneo busca — riquezas, fama, influência, sucesso, visibilidade, "relevância" —, mas saber que está tudo bem graças ao arrepio que sentimos no louvorzão de domingo. E tudo isso "em nome de Jesus". Desde que vistamos roupas com frases religiosas, nos mantenhamos na bolha que nós mesmos construímos com o intuito de fazer um nome grande para nós (à maneira da torre de Babel em Gênesis 11), busquemos hegemonia política por vias faraônicas e utilizemos um vocabulário inteligível somente a quem é evangélico, estaremos justificados em nos curvar aos mesmos bezerros de ouro adorados nos altares do paganismo secular. Ou seja, ninguém teria a coragem de admitir, mas ser igreja, para muitos hoje, é usar o nome de Jesus para nossos próprios fins egolátricos.

Entretanto, é terrivelmente importante que tenhamos clareza quanto a essa verdade tão basilar do que é a igreja e de como ela é chamada a viver, pois trata-se de uma questão de vida ou morte. Sem isso perdemos completamente o norte e sucumbimos às narrativas rivais à nossa volta. E engana-se quem pensa estar isento da influência das visões de mundo que nos cercam. Podemos não ser convocados a conclamar "grande é Ártemis dos efésios" (At 19.28), mas nossos amores estão constantemente voltados ao que nossos olhos tanto

14 RECRIADOS PELA GRAÇA

cobiçam através da tela de nossos celulares, quer tenhamos consciência disso quer não. E até mesmo a própria igreja em Éfeso, que teve um início tão alvissareiro (At 19), precisou ser alertada na transição entre a primeira e a segunda gerações sobre o risco de abandonar sua vocação (Ap 2.1-7). Nossa incapacidade de responder com prontidão o que é a igreja — ou nossa compreensão completamente distorcida sobre isso — pode ser, portanto, um sintoma de que precisamos "nos lembrar de onde caímos" (Ap 2.5).

É para essa finalidade que este livro foi escrito. A partir de uma exegese teológica da carta de Paulo aos Efésios, o objetivo é ajudar o leitor e a leitora a se lembrarem do que faz do povo de Deus o povo de Deus. Os primeiros rascunhos deste estudo surgiram nos encontros que temos feito duas vezes ao ano com os candidatos a novos membros da Igreja Presbiteriana do Caminho, mas a versão final foi adaptada e expandida de modo a falar com a igreja evangélica que segue Jesus além de nossa comunidade. A proposta aqui é examinar o que Paulo tem a dizer sobre a identidade da igreja e reorientar nossa imaginação sobre o que devemos construir em nossos mais diversos contextos eclesiásticos.

Seguindo a estrutura geral de Efésios — capítulos 1—3 e capítulos 4—6 —, o livro é dividido em duas partes: a primeira trata do que a igreja é, a segunda trata do que a igreja faz. Com isso espero deixar explícito que, antes mesmo de saber o tipo de atividade com a qual devemos nos envolver como povo de Deus, é crucial que enxerguemos quem somos em Cristo. Ademais, embora eu interaja direta e abertamente com o texto grego de Efésios, procurei deixar minha prosa o mais leve possível, evitando entediar meus leitores com as minúcias das discussões acadêmicas e recheando minhas

INTRODUÇÃO **15**

exposições com histórias e ilustrações. (Para análises técnicas, recomendo os comentários de Andrew Lincoln e especialmente de Lynn Cohick, aos quais faço referência ao longo do livro. E as discussões expositivas de N. T. Wright e especialmente de Darrell Johnson foram, como sempre, muito úteis para me ajudar a simplificar alguns pontos — de Johnson, cabe reconhecer, até emprestei certas expressões para os títulos de alguns de meus capítulos.[3]) É óbvio que as dificuldades interpretativas jamais são ignoradas em minhas argumentações. De fato, elas estão o tempo todo presentes abaixo da superfície. O apóstolo Pedro sabia do que estava falando ao afirmar que os escritos de Paulo são "difíceis de entender" (2Pe 3.16). A questão é que fiz o máximo para deixar as "panelas exegéticas" na cozinha — leia-se: no escritório — a fim de apresentar meu parecer já "no prato", priorizando a clareza na comunicação. A escolha de uma versão já existente — no caso, a Nova Versão Transformadora — no lugar de uma tradução minha de Efésios teve esse mesmo intuito. O que emerge, então, é uma exposição do que penso ser a leitura mais plausível da mensagem dessa epístola, considerando a tridimensionalidade necessária a uma interpretação contextual responsável do texto bíblico — ou seja, com um

---

[3] Andrew T. Lincoln, *Ephesians*, Word Biblical Commentary (Nashville: Thomas Nelson, 1990); Lynn H. Cohick, *The Letter to the Ephesians*, New International Commentary of the New Testament (Grand Rapids: Eerdmans, 2020); N. T. Wright, *Paulo para todos: Cartas da prisão: Efésios, Filipenses, Colossenses e Filemom* (Rio de Janeiro: Thomas Nelson Brasil, 2020); e Darrell Johnson, *Ephesians: The Wonder and Walk of Being Alive In Christ* (Vancouver: Canadian Church Leaders Network, 2022). Este último é fruto de uma série de sermões que o Rev. Johnson pregou enquanto pastor titular da Primeira Igreja Batista em Vancouver, e que tive o privilégio de ouvir ao vivo durante o período que frequentei essa igreja.

olho no mundo de Paulo e dos efésios, e com o outro olho na igreja evangélica brasileira do século 21, minha leitura teológica é controlada pelo conteúdo específico do texto grego de Efésios e pelas categorias ali implícitas para discernir o que o apóstolo pensa sobre a identidade da igreja.

E por que adotar Efésios como referencial? Por duas razões simples: quem escreveu Efésios foi Paulo,[4] o autor neotestamentário que mais discorreu sobre o significado de ser igreja, e Efésios fala especificamente do que é ser igreja.

Se havia alguém na Antiguidade que compreendia as diferentes concepções da identidade humana oferecidas pela diversidade cultural do contexto mediterrâneo, essa pessoa era Paulo — ou Saulo, no original semítico. Aqui não é o momento para uma descrição exaustiva da vida de Paulo, mas convém notar que ele transitava confortavelmente entre diferentes culturas e, por isso, sabia o que estava em jogo em cada uma delas. Sendo natural de Tarso, capital da Cilícia e importante centro intelectual da Ásia Menor, comparável à grande Alexandria no Egito, Paulo era fluente nas letras clássicas, capaz

---

[4] Sim, a despeito das tentativas de rejeitar a autoria paulina de Efésios na pesquisa moderna desde F. C. Baur, considero os argumentos em favor da posição tradicional muito mais simples e convincentes. Veja Cohick, *The Letter to the Ephesians*, p. 59-81, para uma excelente avaliação do estado atual dessa questão. O estudo técnico mais recente (e autoritativo) sobre os problemas hermenêuticos históricos envolvidos em discussões sobre a autoria de Efésios foi produzido por meu amigo Benjamin J. Petroelje, *The Pauline Book and the Dilemma of Ephesians*, Library of New Testament Studies 665 (Londres: T&T Clark Bloomsbury, 2023). Petroelje conclui que Efésios provavelmente corresponde à "carta aos laodicenses" mencionada em Colossenses 4.16 e escrita de uma localidade desconhecida (p. 163-71). De todo modo, embora a tese de Petroelje não diga respeito primordialmente à autoria de Efésios, os argumentos contra a visão tradicional são significativamente desconstruídos.

INTRODUÇÃO **17**

de citar de cabeça pensadores estoicos e epicureus (At 17.18; Tt 1.12; *Phaenomena* 5; Dio Crisóstomo, *Discursos* 12). Além disso, Paulo era um cidadão romano de nascimento (At 22.27-28), o que lhe conferia grande mobilidade pelo império e o colocava em posição social privilegiada em relação a boa parte da população. Em Filipos, por exemplo, após ter sido preso de forma injusta junto com Silas, Paulo recorre a sua cidadania romana para sutilmente contradizer a acusação de que o evangelho tinha o objetivo primordial de subverter os costumes do império (At 16.16-40). Ainda mais importante, Paulo era o mais zeloso fariseu de sua geração. "Fui circuncidado com oito dias de vida. Sou israelita de nascimento, da tribo de Benjamim, um verdadeiro hebreu. Era membro dos fariseus, extremamente obediente à lei judaica. Era tão zeloso que persegui a igreja. E, quanto à justiça, cumpria a lei com todo rigor" (Fp 3.5-6). Ao contrário do que muitos evangélicos pensam, os fariseus não eram vistos por seus contemporâneos como pessoas más — "hipócritas" ou "religiosas", como costuma-se adjetivar hoje aquele grupo. Na realidade, eram considerados os representantes daqueles que buscavam reformar a sociedade a partir dos símbolos centrais do judaísmo, exercendo dessa forma enorme influência na vida dos habitantes das cidades e dos vilarejos da Galileia. Portanto, a percepção de Paulo quanto a quem ele era e como ele deveria viver no mundo era profundamente ancorada na convicção de ser um participante da purificação do povo, em antecipação do reino de Deus.[5]

A despeito de todas essas credenciais, Paulo precisou refazer todo seu senso de identidade após o encontro que teve com o Cristo ressurreto no caminho de Damasco (At 9.1-19).

---

[5] Para uma introdução acessível à vida de Paulo, veja N. T. Wright, *Paulo: Uma biografia* (Rio de Janeiro: Thomas Nelson Brasil, 2018).

18 RECRIADOS PELA GRAÇA

Muitos pastores gostam de dizer que é necessário antes reconhecermos a profundidade de nosso pecado para aí sim percebermos a grandeza da graça de Deus no evangelho. Mas Paulo discordaria — ou, no mínimo, diria que nem sempre é assim. Antes de seu encontro com Cristo, Paulo nunca passou por uma crise de identidade. Em Romanos 1—3, o apóstolo de fato destaca a indesculpabilidade humana perante Deus antes de apresentar a resolução dessa realidade no evangelho. Mas Romanos é uma exposição do evangelho a uma audiência que nunca havia ouvido Paulo pregar, e não um relato autobiográfico. Na experiência do apóstolo, algo diferente acontece. Paulo, que até o episódio narrado em Atos 9.1-19 pensava não ter nada do que se envergonhar perante Deus e os outros, estava a caminho de Damasco sem qualquer problema na consciência, pronto para encarcerar e, se possível, condenar à morte aqueles que proclamavam Jesus como o messias ressurreto de Israel. Ao perseguir os blasfemos seguidores do Caminho, Paulo pensava prestar um serviço ao Deus de Israel. É somente quando aquele que venceu a morte literalmente entra no caminho de Paulo, que este enxerga sua própria miséria. Até mesmo para perceber o quanto precisava de Jesus, Paulo precisou de Jesus.

Afinal, o que acontece naquela viagem à capital da Síria que vira a identidade de Paulo de pernas para o ar? Ora, sendo o fariseu zeloso que era, Paulo esperava pelo momento em que Yahweh entraria em cena mais uma vez na história para libertar os justos do domínio pagão e reestabelecer o povo eleito como reino de sacerdotes perante todas as nações (Êx 19). E, assim como boa parte da população judaica do primeiro século, ele provavelmente alimentava essa expectativa com base em textos bíblicos como Ezequiel 37, que falava do retorno definitivo

INTRODUÇÃO **19**

de Israel da realidade do exílio por meio da linguagem da ressurreição dos mortos.[6] Ou seja, tudo que Paulo fazia — sua dedicação ao estudo da lei e sua prontidão em guardar os preceitos farisaicos — era em antecipação àquele tão aguardado momento em que Deus estabeleceria seu reino de uma vez por todas na terra. E o detalhe importante é que, na visão dos fariseus, eles é quem estariam no início da fila no dia da ressurreição. Já que eram os justos que experimentariam a ressurreição para a vida (Dn 12.2), Paulo imaginava que ele, sendo "irrepreensível no que dizia respeito à justiça da lei" (Fp 3.6), estaria lá na frente, segurando a bandeira do reino da justiça de Deus.[7]

Acontece que, por mais que Paulo preenchesse todos os requisitos de alguém que era considerado justo perante as pessoas, aos olhos de Deus faltava ao fariseu aquilo que faltava para todos os demais seres humanos: reconhecer como Deus agiu de uma vez por todas na pessoa de Jesus para libertar o universo do poder do pecado e da morte. Em todo seu anseio farisaico pelo dia em que Yahweh restauraria todas as coisas a partir do povo eleito, Paulo imaginava, como quase todo judeu de sua época, que esse dia se caracterizaria pela vindicação de seu próprio grupo. Ou seja, no grande dia em que Deus fosse cumprir seu plano de salvação do mundo, estabelecendo seu reinado na terra, os inimigos de Israel seriam violentamente derrotados e a tão aguardada ressurreição dos mortos aconteceria a partir daqueles que pertenciam ao grupo religioso de Paulo. Da mesma maneira

---

[6] As fontes históricas mais importantes mencionando os fariseus fora do Novo Testamento e da literatura rabínica bem posterior vêm de Flávio Josefo (veja os livros 13, 17—18 de *Antiguidades*, e 1—2 de *Guerra*).
[7] Veja a discussão em Steve Mason, "Pharisees", em *Eerdmans Dictionary of the Bible*, p. 1044-5.

20 RECRIADOS PELA GRAÇA

que muitos evangélicos hoje acreditam que Deus é evangélico — e que o sonho de Deus para o Brasil é torná-lo um país evangélico, como se isso fosse uma coisa necessariamente boa —, os fariseus da época de Paulo, inclusive o próprio Paulo, achavam que Deus estava do lado dos fariseus. Como resultado, Paulo acabou se apegando à expectativa de que, no momento decisivo da história, Deus daria uma surra nos romanos e compartilharia seu poder na terra com os fariseus.

E, de fato, os Evangelhos nos contam que, poucos anos antes dos eventos narrados em Atos 9, Deus já havia invadido a história na pessoa de Jesus, para estabelecer seu reino de uma vez por todas entre a humanidade. Contudo, diferentemente do que esperavam os fariseus, o reino de Deus não se concretizou na derrota violenta dos inimigos de Israel, nem na vindicação de pessoas com base no mérito humano. Pois Jesus veio derrotar o maior inimigo da humanidade: a morte, não meramente os inimigos políticos dos judeus. E, ao ressuscitar dos mortos, Jesus provava que era o único com o mérito necessário perante o Criador para realizar essa libertação — somente alguém sem qualquer culpa aos olhos de Deus poderia vencer os efeitos de Gênesis 3. Assim, em contraste com o que era esperado pelos fariseus, o reino de Deus foi assegurado por Jesus por meio de sua morte na cruz. Foi no Calvário que o salvador do mundo quebrou o poder da morte. E, mais uma vez em contraste com o que era esperado pelos fariseus, o único que pôde alcançar ressurreição dos mortos foi Jesus. Ser fariseu não era suficiente para garantir ressurreição, mas somente confiar em Jesus, aquele que de fato havia ressuscitado dos mortos.[8]

---

[8] Veja Bernardo Cho, *O enredo da salvação: Presença divina, vocação humana e redenção cósmica* (São Paulo: Mundo Cristão, 2021), p. 146-65.

INTRODUÇÃO 21

O detalhe é que Paulo jamais chegou a conhecer a Jesus. Como resultado, quando fica sabendo de alguns judeus que anunciavam a chegada do reino de Deus na pessoa de Jesus, e que esse Jesus havia sido morto em uma cruz romana e ressuscitado no terceiro dia, Paulo fica profundamente indignado. Como pode um marginal que morreu em uma cruz como um fracassado político ser o salvador do mundo? Como pode o reino de Deus já ter sido inaugurado se os romanos ainda estão bem alojados na Palestina? E como pode a famigerada ressurreição dos mortos ter acontecido se o próprio Paulo, o mais justo de sua geração, ainda não havia experimentado essa realidade? Por essa razão, como toda pessoa que pensa ter a prerrogativa de restringir Deus a seu próprio grupo, Paulo se acha no dever sagrado de perseguir aqueles que pregavam tamanho absurdo: ele não somente aprova o apedrejamento de Estêvão (At 8.1) como também pega a autorização do sumo sacerdote para, em nome de Deus, encarcerar as testemunhas da ressurreição de Jesus (At 9.1-2).

Contudo, no caminho entre Jerusalém e Damasco — no caminho da perseguição contra aqueles que seguiam o Caminho —, Paulo tem um encontro com o Cristo ressurreto. E o Cristo ressurreto se apresenta a Paulo como aquele que detém toda a autoridade nos céus e na terra — toda a glória, toda a santidade, toda a justiça, toda a verdade, toda a vida do próprio Deus. Não há quem possa brilhar mais forte que o sol ao meio-dia se não estiver em íntima associação com o Deus de Israel, o Criador do cosmo (At 22.6).[9] Assim, quando Paulo vê aquela luz ofuscante brilhar,

---

[9] Veja I. Howard Marshall, *Acts: An Introduction and Commentary* (Downers Grove: IVP Academic, 1980), p. 180; Craig S. Keener, *The IVP Bible Background Commentary: New Testament* (Downers Grove: IVP, 1993), p. 348.

22 RECRIADOS PELA GRAÇA

imediatamente pergunta: "Quem és tu, *Senhor*?" (At 9.5, grifos meus). E o fariseu não esperava que a pessoa envolta daquela forte luz fosse ninguém menos que a figura a quem ele perseguia com tanta paixão: "Sou Jesus, a quem você persegue!" (9.5). A pessoa que acaba de derrubar Paulo no chão com a intensidade do brilho de sua glória é o mesmo Jesus a quem Paulo considera seu inimigo blasfemo! O Jesus que havia sido crucificado de forma tão contrária àquilo que Paulo esperava do salvador do mundo, havia também vencido a própria morte! Isso significava que o reino de Deus, o plano de restauração do universo, havia finalmente sido inaugurado, não porém da maneira como Paulo esperava. E aquele encontro no caminho de Damasco comprovava que quem estava errado — o verdadeiro blasfemo, morto em suas transgressões, carente de ressurreição — era Paulo, não Jesus. Como resultado, Paulo descobre que, por mais admirável que ele pudesse ter sido perante seus patrícios, o único caminho para a salvação, para a ressurreição dos mortos, estava em Jesus. Jesus é o único justo perante Deus, o único que venceu a morte, o único que pode definir quem pertence ao reino de Deus, o único que possibilita o início da nova criação. Sem Jesus, todos nós, até mesmo o grande Saulo de Tarso, não passamos de cegos idólatras, inimigos de Deus.

Entretanto, esse Jesus, que brilha mais forte que o sol ao meio-dia, venceu a morte para que aqueles alcançados por ele tenham vida — vida como extensão da ressurreição do próprio salvador. Dessa maneira, em vez de fulminar Paulo, Jesus faz de Paulo um participante de seus planos redentivos. A esse Paulo, que agora está caído como morto no chão, totalmente incapaz de enxergar para onde ir, Jesus dá o Espírito Santo e a dádiva de pertencer ao povo que tem

INTRODUÇÃO **23**

Jesus como Senhor absoluto. E é quando o Espírito Santo vem sobre Paulo que o fariseu chamado ao apostolado volta a enxergar (At 9.17-18).

A partir daquele momento, Paulo compreende que toda a sua identidade agora é redefinida em torno dessa pessoa chamada Jesus — não de um ideal religioso, um movimento político ou uma relação etnocêntrica com seu entorno. Paulo agora percebe toda a sua existência em relação a Cristo, aquele que venceu a morte e que detém toda a autoridade do universo em suas mãos. De acordo com Susan Eastman, ninguém na Antiguidade percebia sua pessoalidade — seu *self* — de forma isolada das comunidades e dos ambientes onde estavam inseridos, como muitos fantasiam hoje.[10] E Paulo não fugia à regra: uma vez alcançado pelo evangelho, toda a sua vida estava identificada a Cristo. "Fui crucificado com Cristo; assim, já não sou eu quem vive, mas Cristo vive em mim" (Gl 2.20). Com efeito, tão fundacional passa a ser essa relação estabelecida por Cristo que Paulo se enxerga agora em plena união com o Ressurreto. Se a humanidade desde Gênesis 3 perecia "em Adão", podemos ter vida agora "em Cristo", na identificação corporativa com aquele que cumpriu a vocação humana com perfeição, venceu a morte e inaugurou uma nova humanidade (Rm 5.12-21).[11] Assim como Paulo descobre que perseguia na verdade a Cristo quando perseguia a igreja (At 9.4-5), ele se vê agora indissoluvelmente unido a Jesus. Não é a toa que "em Cristo" é

---

[10] Susan Grove Eastman, *Paul and the Person: Reframing Paul's Anthropology* (Grand Rapids: Eerdmans, 2017), p. 1-26.

[11] Veja Russell P. Shedd, *O homem em comunidade: A solidariedade da raça na teologia de Paulo* (São Paulo: Vida Nova, 2018).

24 RECRIADOS PELA GRAÇA

a expressão preferida do apóstolo para descrever o povo de Deus e a realidade da nova criação.

Ademais, o encontro no caminho de Damasco deixa claro para Paulo que nada poderia sustentar sua identidade além do favor imerecido de Jesus. Toda a sua autopercepção parte agora da graça de Deus. Paulo era cego, mas agora via; estava morto, mas agora vivia — e isso somente porque foi Jesus quem interrompeu aquele caminho ao abismo, colocando o fariseu no caminho da redenção. De novo, Paulo só pôde mudar de direção porque foi Cristo quem entrou no caminho de Paulo, deixando de retribuir a Paulo o mal que Paulo havia intentado à igreja. "O que agora sou, porém, deve-se inteiramente à graça que Deus derramou sobre mim" (1Co 15.10). Paulo não estava em busca de Cristo. Cristo esteve em busca de Paulo. Assim, Paulo passa a viver a partir da convicção de que nada, nem mesmo as forças mais inexoráveis da existência humana debaixo dos céus, "poderá nos separar do amor de Deus revelado em Cristo Jesus, nosso Senhor" (Rm 8.39). E pelo mesmo motivo o apóstolo se tornará famoso por sua insistência no fato de que é somente a graça de Deus que pode determinar a identidade de seu povo: "Não considero a graça de Deus algo sem sentido. Pois, se a obediência à lei nos tornasse justos diante de Deus, não haveria necessidade alguma de Cristo morrer" (Gl 2.21).

Finalmente, uma vez que toda sua identidade estava agora em Cristo, a vida que Paulo levaria seria reorganizada a partir do caráter cruciforme daquele que venceu a morte por meio de seus sofrimentos: "Saulo é o instrumento que escolhi para levar minha mensagem aos gentios e aos reis, bem como ao povo de Israel. E eu mostrarei a ele quanto deve *sofrer* por meu nome" (At 9.15-16, grifos meus). Dessa forma,

INTRODUÇÃO 25

a partir de seu encontro com Cristo, aquele que se dedicava a perseguir seus inimigos passaria a se orgulhar em seus sofrimentos por Cristo (2Co 12.8-10; Fp 3.10-11). E o próprio teor da proclamação de Paulo não se firmaria mais em sua capacidade intelectual ou em suas habilidades retóricas. Antes, diria respeito à verdadeira sabedoria e ao verdadeiro poder que Deus manifestou no cosmo por meio da fraqueza e da loucura da cruz: "Pois os judeus pedem sinais, e os gentios buscam sabedoria. Assim, quando pregamos que o Cristo foi crucificado, os judeus se ofendem, e os gentios dizem que é tolice. Mas, para os que foram chamados para a salvação, tanto judeus como gentios, Cristo é o poder de Deus e a sabedoria de Deus. Pois a 'loucura' de Deus é mais sábia que a sabedoria humana, e a 'fraqueza' de Deus é mais forte que a força humana. [...] Pois decidi que, enquanto estivesse com vocês, me esqueceria de tudo exceto de Jesus Cristo, aquele que foi crucificado" (1Co 1.22-25; 2.2).

Lá pelas tantas, então, esse mesmo Paulo, já em sua terceira missão apostólica aos confins da terra, chega em Éfeso, o lar de Ártemis, para anunciar a inauguração do reino e da nova criação de Deus na ressurreição de Jesus. E, em Atos 19, temos um vislumbre do poder com o qual o evangelho se manifestou naquela cidade por meio de Paulo. Tudo começa com a descida do Espírito Santo sobre alguns judeus que antes haviam ouvido apenas partes da mensagem de Jesus (At 19.1-7). Em seguida, Paulo prega por três meses aos judeus, persuadindo-os da chegada do reino de Deus, o que culmina, como de rotina, em sua expulsão da sinagoga por parte de um grupo mais obstinado (At 19.8-9). Como alternativa, Paulo passa a se dedicar ao ensino da recém-formada comunidade de discípulos em Éfeso, reunindo-se com eles diariamente por dois

26 RECRIADOS PELA GRAÇA

anos, possivelmente no horário da *siesta*, na escola de Tirano (At 19.9-10). Durante aquele período, o Senhor usa a vida de Paulo de forma tão extraordinária que não resta dúvidas que o poder de Cristo é incomparável, de outra natureza: muitos enfermos e endemoninhados são curados por intermédio dos pertences de Paulo (At 19.11-12), espíritos impuros recusam obedecer a quem esteja desalinhado com a missão apostólica e tente usar o nome de Jesus sem conhecê-lo de verdade (At 19.13-16), a multidão convertida confessa seus pecados publicamente (At 19.17-18), e os que até então tiveram envolvimento com a feitiçaria queimam seus livros, cujo valor somado equivale a 137 anos de salário por um dia completo de trabalho (At 19.19).

Em resposta a tudo aquilo, porém, "Demétrio, ourives que fabricava modelos de prata do templo da deusa grega Ártemis e que empregava muitos artífices" (At 19.24), incita a população a proteger os lucros de seus negócios sob a justificativa de conservar aquilo que dava coesão à identidade daquela cidade — isto é, o culto à deusa dos efésios. "Mas, como vocês viram e ouviram, esse sujeito, Paulo, convenceu muita gente de que deuses feitos por mãos humanas não são deuses de verdade. Fez isso não apenas aqui em Éfeso, mas em toda a província. Claro que não me refiro apenas à perda do respeito público por nossa atividade. Também me preocupa que o templo da grande deusa Ártemis perca sua influência e que esta deusa magnífica, adorada em toda a província da Ásia e ao redor do mundo, seja destituída de seu grande prestígio!" (At 19.26-27). E tamanha era a influência do culto a Ártemis sobre o senso de identidade dos efésios que a multidão reunida ali, bem à moda do que ocorre em nossos estádios de futebol — ou comícios políticos —,

INTRODUÇÃO 27

grita por mais de duas horas, exaltando a grandeza de sua deusa, ainda que "a maioria nem sabia porque estava ali" (At 19.32). O tumulto só se dispersa quando, por um lampejo de sensatez do escrivão da cidade, a multidão entende que aquela reação era irracional (At 19.35-41).

Quando escreve aos cristãos em Éfeso, portanto, Paulo fala como alguém que não somente sabe o que é reconstruir toda a sua identidade a partir de um novo centro — do único centro, que é Jesus, o Cristo ressurreto, aquele que tem toda a autoridade nos céus e na terra —, mas também conhece em primeira mão todas as pressões que o contexto de seus leitores impunha sobre eles. O apóstolo, aliás, está na prisão, provavelmente em Roma, em razão do grande "mistério revelado em Jesus" (cf. Ef 3.1-13).[12] Não por simples coincidência, Efésios fala sobre a posição da igreja nos "domínios celestiais" (Ef 1.3), reconhece Cristo como o cabeça de todas as coisas "nos céus e na terra" e da igreja (Ef 1.10,22-23), descreve a igreja como templo do Espírito Santo (Ef 2.19-22), convoca seus leitores à unidade com Cristo, não mais a partir dos valores culturais ou costumes religiosos daquela cidade (Ef 4.1-4; 5.1-14), e exorta os crentes a permanecerem firmes no poder que ressuscitou Jesus dos mortos, revestindo-se da "armadura de Deus" (Ef 6.10-20). Em suma, o apóstolo nos lembra de que somos uma nova humanidade, recriados pela graça de Deus revelada em Cristo.

No documento bíblico conhecido como Epístola de Paulo aos Efésios, encontramos então uma clara e profunda explicação do que significa ser igreja em um contexto no qual a

---

[12] Veja detalhes das possíveis condições de Paulo nessa ocasião em Brian Rapske, *The Book of Acts and Paul in Roman Custody* (Grand Rapids: Eerdmans, 1994), p. 238.

28 RECRIADOS PELA GRAÇA

presença de narrativas, visões de mundo e sistemas de crenças rivais ao evangelho é ubíqua e ostensiva. Nessa carta, Paulo instrui seus leitores — o "povo santo em Éfeso, seguidores fiéis de Cristo Jesus" (Ef 1.1) — sobre a base da identidade cristã e os encoraja a viverem de acordo com a nova vida que Cristo concede. Efésios constitui, assim, um excelente modelo que nos ajuda a compreender o que significa ser povo de Deus hoje. Em toda probabilidade, aliás, a carta foi percebida desde muito cedo na história do cristianismo como carregando implicações universais, não somente restrita à igreja situada na cidade de Éfeso.[13] Por meio dessa carta, Paulo deixa claro aos crentes daquela importante região da Ásia Menor, cuja cultura preconizava desejos e condutas diametralmente opostos aos valores do reino de Deus, o que precisamente significa pertencer a Cristo, ser povo de Deus e viver como templo do Espírito Santo. De fato, a Epístola de Paulo aos Efésios é tão impressionante que a carta já foi considerada o centro da teologia paulina.[14]

E o que exatamente Efésios tem a nos ensinar? É para essa pergunta que nos voltamos agora.

[13] Há um problema textual em Efésios 1.1: a expressão "em Éfeso" não consta em alguns manuscritos importantes. Isso provavelmente sugere que, embora a epístola tenha sido escrita aos efésios originalmente, logo passou a ser aplicada como carta circular.
[14] "Efésios [é] a epístola do apóstolo que fica no centro tanto em termos de conceitos quanto em ordem. E digo 'centro', não apenas por vir após as primeiras epístolas e ser mais longa que as finais, mas no sentido de que o coração de um animal está em sua parte central. Nisto, podemos compreender a magnitude das dificuldades e a profundidade das questões que [Efésios] contém" (Orígenes, citado em Petroelje, *The Pauline Book and the Dilemma of Ephesians*, p. vii).

PARTE I

O que é a igreja?

1

Mais ricos do que pensamos: As bênçãos que já temos em Cristo

....

Eu, Paulo, apóstolo de Cristo Jesus pela vontade de Deus, escrevo esta carta ao povo santo em Éfeso, seguidores fiéis de Cristo Jesus. Que Deus, nosso Pai, e o Senhor Jesus Cristo lhes deem graça e paz.

Todo louvor seja a Deus, o Pai de nosso Senhor Jesus Cristo, que nos abençoou em Cristo com todas as bênçãos espirituais nos domínios celestiais. Mesmo antes de criar o mundo, Deus nos amou e nos escolheu em Cristo para sermos santos e sem culpa diante dele. Ele nos predestinou para si, para nos adotar como filhos por meio de Jesus Cristo, conforme o bom propósito de sua vontade. Deus assim o fez para o louvor de sua graça gloriosa, que ele derramou sobre nós em seu Filho amado. Ele é tão rico em graça que comprou nossa liberdade com o sangue de seu Filho e perdoou nossos pecados. Generosamente, derramou sua graça sobre nós e, com ela, toda sabedoria e todo entendimento.

Agora Deus nos revelou sua vontade secreta a respeito de Cristo, isto é, o cumprimento de seu bom propósito. E o plano é este: no devido tempo, ele reunirá sob a autoridade de Cristo tudo que existe nos céus e na terra. Além disso, em Cristo nós nos tornamos herdeiros de Deus, pois ele nos predestinou conforme seu plano e faz que tudo ocorra de acordo com sua vontade. O propósito de Deus era que nós, os primeiros a confiar em Cristo, louvássemos a Deus e lhe déssemos glória. Agora vocês também ouviram a verdade, as boas-novas da salvação. E, quando creram em Cristo, ele colocou sobre vocês o selo do

32 RECRIADOS PELA GRAÇA

Espírito Santo que havia prometido. O Espírito é a garantia de nossa herança, até o dia em que Deus nos resgatará como sua propriedade, para o louvor de sua glória.

EFÉSIOS 1.1-14

....

Meses atrás, enquanto levava meus filhos à escola cedo pela manhã, ouvi no rádio que a loteria americana estava pagando mais de um bilhão de dólares a quem acertasse sozinho os números premiados. De imediato, fiquei a imaginar como seria a minha vida se, da noite para o dia, alguém depositasse 5 bilhões de reais (segundo o câmbio aproximado de hoje) na minha conta bancária. A vida com certeza ficaria um pouco mais confortável para mim e para a minha família! E eu finalmente teria condições de implementar todos os (muitos) projetos que sonho um dia ver se concretizar nos contextos em que atuo.

Mas, para além das mudanças práticas que experimentaria em coisas mais mundanas do cotidiano, logo me pus a indagar o quanto de quem sou não seria afetado por essa nova realidade. Em que tipo de pessoa eu me transformaria? Como seria a minha rotina de domingo a domingo? Quais se tornariam as minhas prioridades? Será que as minhas escolhas quanto às questões mais importantes da vida não passariam a ser bem diferentes daquelas que faço hoje, enquanto ainda é relativamente fácil me perceber dependente da provisão diária de Deus? E os meus parentes — será que me reconheceriam depois de um tempo? Provérbios 19.4 diz que "a riqueza traz muitos amigos" (NVI). Acaso viria à existência também no mundo real (fora das redes sociais) uma multidão de estranhos me chamando de "amigo" e esperando de mim certos favores?

Vimos na introdução que o propósito central de Efésios é descrever em que exatamente consiste ser a igreja de Jesus. O aspecto mais intrigante nessa discussão, no entanto, é que somente na segunda metade da carta Paulo começa a falar sobre o que a igreja deve realizar. Isso porque, antes mesmo de falar sobre as responsabilidades confiadas por Deus a seu povo, Paulo precisa descrever o que justifica a razão de existir da igreja. Para o grande apóstolo aos gentios, não é sequer possível começar a falar sobre a igreja sem antes falar sobre aquilo — ou melhor, Aquele — que dá existência à igreja. A igreja não é uma entidade com um fim em si. Ela não pode existir de forma autônoma, nem mesmo pelo engajamento voluntário de pessoas bem-intencionadas. A igreja é o fruto — a consequência — de um evento infinitamente mais grandioso que a precede: a obra que o Criador de céus e terra realizou em Jesus, em cumprimento a todo o plano redentivo desenhado antes da fundação do mundo e antecipado ao longo da história bíblica da salvação. Somente à luz desse evento é que faz sentido falar — e, de fato, é possível compreender — o que a igreja deve fazer. A igreja é o povo que resulta do evangelho.

Assim, é de primeiríssima importância que essa ordem jamais seja invertida. Paulo começa sua densa exposição sobre a identidade da igreja por aquilo que tradicionalmente tem sido denominado de *indicativos* do evangelho, por aquilo que aconteceu e se concretizou no evangelho. E somente depois de explicar esses indicativos é que Paulo descreve como a igreja deve viver — os chamados *imperativos* do

34 RECRIADOS PELA GRAÇA

evangelho.[1] Ler somente a primeira metade de Efésios é reduzir o evangelho e o significado de ser povo de Deus a ideias abstratas. Ler somente a segunda metade de Efésios é reduzir o evangelho e o significado de ser povo de Deus a uma religião ativista. Mas ler Efésios do começo ao fim — e nessa ordem, com os indicativos fundamentando os imperativos — é entender como somente a obra que Deus realizou em Jesus pôde produzir uma comunidade como a igreja, e como a igreja deve viver em resposta a tudo que Deus realizou em Jesus.

É crucial, especialmente na atualidade, que se entenda essa dinâmica entre os indicativos e os imperativos do evangelho, pois muitos de nós temos sido moldados pelo espírito pragmatista de nosso tempo, tendendo a acreditar que o cristianismo é bom somente na medida em que é útil. Como resultado, boa parte dos cristãos, quando comparece aos cultos, vai para ouvir uma palavra que possa ser "aplicada na prática" e trazer algum benefício — leia-se: "ganho pessoal" — visível e imediato. As pessoas se sentem muito mais confortáveis em receber de um guru uma receita que lhes dê uma sensação de sucesso e segurança, do que em trilhar o discipulado de um Deus que entregou tudo de si para nos salvar da morte. Não surpreende que os auditórios eclesiásticos mais lotados hoje em dia sejam aqueles que oferecem

---

[1] Admito que essa distinção pode parecer um pouco artificial, já que Paulo não escreve Efésios encaixotando suas ideias como em um manual de teologia sistemática. Além disso, há inúmeras implicações práticas que podem ser extraídas de Efésios 1—3, assim como há muitas afirmações indicativas em Efésios 4—6. Ainda assim, penso ser útil seguir essa divisão, pois a maioria absoluta dos verbos no imperativo ocorrem em Efésios 4—6.

uma mensagem de autoajuda ou de realização profissional em nome de Deus. Contudo, se atentarmos para a relação necessária e inegociável entre os indicativos e os imperativos do evangelho, perceberemos que não há "aplicação prática" mais importante, mais urgente e mais relevante do que esta: compreender o que Deus realizou no evangelho e adorar a esse Deus em resposta à revelação de seu caráter e de sua obra redentiva no evangelho.

Com efeito, já que a igreja é uma entidade que só pode existir por causa dos indicativos do evangelho, Paulo não vê forma mais apropriada de iniciar sua exposição senão com palavras de adoração ao Deus do evangelho: "Todo louvor seja a Deus, o Pai de nosso Senhor Jesus Cristo" (1.3a). Essa adoração, aliás, não constitui uma realização humana, algo que produzimos espontaneamente por nós mesmos. A ideia de que o que importa é cantar "o que estiver em nosso coração", sem a menor atenção ao conteúdo de nossos louvores, é mais um daqueles muitos clichês sentimentalistas que têm comprometido de maneira um tanto quanto sutil a saúde da igreja. É bem provável que, quando cantamos somente "o que está no coração", estejamos praticando uma forma disfarçada de idolatria. É lá no coração humano que os falsos deuses costumam ser forjados, conforme nos ensinou há muito tempo João Calvino. Na verdade, na continuação do verso 3, vemos que a única realidade que possibilita uma adoração verdadeira de nossa parte é a obra que Deus realizou em Cristo: "Todo louvor seja a Deus, o Pai de nosso Senhor Jesus Cristo, que nos abençoou em Cristo com todas as bênçãos espirituais nos domínios celestiais" (1.3). No texto grego, existe uma conexão estreita entre a expressão "todo louvor seja dado a Deus" e o fato de que Deus nos

36 RECRIADOS PELA GRAÇA

"abençoou" com todas as "bênçãos espirituais" — Paulo está usando o mesmo termo (*eulogia*) nessas três ocasiões. Nesse jogo de palavras, é como se o apóstolo dissesse que bendizer a Deus — ou, para deixar claro o paralelo, "abençoar" a Deus — só pode acontecer como consequência do fato de que Deus nos abençoou primeiro.

A iniciativa divina de gerar essa resposta de adoração em seu povo é destacada de forma ainda mais vívida na descrição que Paulo faz do propósito soberano de Deus, firmado antes da fundação do mundo, de submeter todas as coisas ao senhorio de Jesus e de, juntamente com o governo de Cristo, formar para si um povo que reflete seu caráter a toda a criação. Por motivo de clareza, as traduções em português precisam quebrar Efésios 1.3-14 em várias sentenças separadas, mas tudo nesse bloco de versos faz parte de uma única afirmação no texto grego. É difícil ler o original desse trecho de Efésios sem ter a nítida impressão de que Paulo foi concatenando ideias diversas, conforme ia se lembrando dos muitos aspectos essenciais às bênçãos espirituais que temos em Cristo. De todo modo, o ponto central é simples: a igreja é o resultado não de contingências históricas inexoráveis, muito menos do mérito ou esforço humano, mas única e exclusivamente da graça de Deus.[2] Foi o próprio Deus que, por sua livre iniciativa, "mesmo antes de criar o mundo [...] nos escolheu" (1.4), "nos predestinou [...] conforme o bom propósito de sua vontade" (1.5), segundo "sua vontade" e "seu bom propósito" (1.9), e "nos predestinou conforme seu plano" e "sua vontade" (1.11). E o próprio apostolado de Paulo nasceu

[2] Lincoln, *Ephesians*, p. 23.

MAIS RICOS DO QUE PENSAMOS 37

"pela vontade de Deus" (1.1). Nada dependeu de nós; tudo dependeu — e ainda depende — de Deus.

Essa escolha soberana, porém, longe de nos autorizar a pensar que o Criador decidiu povoar o "céu" de forma caprichosa ou arbitrária, está em profunda continuidade com Deuteronômio 7.6-8 e 14.2, intimando o povo de Deus a uma missão: "Vocês são um povo santo que pertence ao Senhor, seu Deus. Dentre todos os povos da terra, o Senhor, seu Deus, os escolheu para serem sua propriedade especial. O Senhor não se afeiçoou a vocês nem os escolheu por serem mais numerosos que outras nações, pois vocês eram a menor de todas as nações! Antes, foi simplesmente porque o Senhor os amou e foi fiel ao juramento que fez a seus antepassados. Por isso o Senhor os libertou com mão forte da escravidão e da opressão do faraó, rei do Egito" (Dt 7.6-8). "Vocês são um povo consagrado ao Senhor, seu Deus, e ele os escolheu dentre todas as nações da terra para serem sua propriedade especial" (Dt 14.2).[3]

Por implicação, a eleição da igreja não deve nos fazer sentir confortáveis com a ideia de que pouco importa a vida que levamos, desde que subscrevamos intelectualmente a esta ou àquela doutrina. Paulo jamais nos permite concluir que é possível "ir para o céu", mesmo sem crer ou vivendo como se não cresse em Jesus, desde que a pessoa em questão seja "eleita". O verbo grego *exelexato*, traduzido por "escolheu" em Efésios 1.5, quando utilizado em referência a

---

[3] É nítido aqui que Yahweh não faz uma afirmação sobre o destino eterno de Israel — que, diga-se de passagem, não foi o "céu", mas, sim, o exílio. O ponto é outro: a missão que o povo recebeu à luz da graça soberana de Deus e em cumprimento às promessas feitas aos patriarcas — missão essa que implicava refletir o caráter de Deus às nações.

38   RECRIADOS PELA GRAÇA

Yahweh na Septuaginta, tradução grega da Bíblia hebraica, quase sempre se refere à escolha de alguém — os patriarcas, Israel, Davi ou algum outro servo — para ser instrumento da vontade de Deus.[4] Esse é exatamente o caso, aliás, nas passagens supracitadas de Deuteronômio 7.7 e 14.2, em que o povo é lembrado de sua vocação original. E o mesmo vale para várias instâncias no Novo Testamento (por exemplo, Lc 6.13; Jo 15.19; At 1.24; 6.5; 15.22). Já *proorizō*, traduzido por "eu predestino" (Ef 1.5,11; veja também Rm 8.29), ocorre somente uma vez fora dos escritos de Paulo no Novo Testamento, conotando a decisão que Deus toma de antemão de realizar seus propósitos soberanos, ainda que por meio de circunstâncias inesperadas. Em Atos 4.28, os discípulos oram por ousadia para proclamar a ressurreição mesmo diante da oposição das autoridades de Jerusalém, sabendo que até mesmo a morte de Jesus havia acontecido segundo o que "a mão e o conselho de Deus haviam predestinado [*proōrisen*]". Porém, esse verbo não aparece nenhuma vez na Septuaginta. Em vez de *proorizō*, há o sinônimo *prooraō*, "prever" — e apenas quatro vezes, para falar de assuntos que passam longe do sentido empregado em Efésios (Gn 37.18; Sl 15.8; 4Mc 4.25). A exceção é Salmos 138.3 (139.3 no texto em português), que exalta a presciência de Deus: "Tu sondaste minha trilha e meu leito; conheceste de antemão [*proeides*] todos os meus caminhos" (tradução minha). A ênfase aqui é na soberania de Deus que se expressa em seu conhecimento inesgotável de tudo que acontece na vida do salmista.

[4] Septuaginta: Nm 16.5; Dt 4.37; 18.5; 1Sm 2.28; Sl 32.12; 46.4; 77.67-68,70; 104.26; 131.13; 134.4; Is 41.8-9; 43.10; 49.7.

MAIS RICOS DO QUE PENSAMOS 39

Isso significa que a pessoa que se diz eleita ou predestinada por Deus mas segue intencional e conscientemente os padrões caídos deste mundo, nunca tendo se submetido verdadeiramente a Cristo, é como um lunático que jura ser filho de Júlio César e neto de Napoleão Bonaparte. Ou talvez seja um obstinado com o coração cauterizado, que suprime a verdade e se recusa a viver em conformidade com a vontade revelada de Deus — o que dá na mesma. Paulo é tão irredutível quanto a isso que, em Romanos 9.4, lamenta o fato de que a Israel haviam sido dadas a "eleição" e a "adoção", mas que agora muitos de seus patrícios haviam abandonado essas prerrogativas ao resistirem a Cristo. Paulo não estaria entristecido se acreditasse que "eleição" e "adoção" dissessem respeito à garantia de que todos os israelitas "iriam um dia para o céu", inclusive aqueles que rejeitaram o salvador. Para Paulo, "eleição" e "adoção" — assim como "aliança", "dádiva da lei", "culto" e "promessas" na mesma passagem de Romanos 9.4 — são categorias vocacionais que muitos israelitas abandonaram precisamente ao rejeitar Jesus.

Assim, a escolha de Deus a que o apóstolo se refere em Efésios é "para sermos santos e sem culpa diante dele", uma vez que "Deus nos predestinou para si, para nos adotar como filhos" (1.4-5). Note de novo a semelhança com Deuteronômio 14.2. Não é à toa que Paulo identifica seus leitores como "povo santo" em Efésios 1.1 (no grego, apenas "aos santos [tois hagiois]"), expressão essa que nos remonta à vocação que Israel havia recebido de Yahweh após o êxodo, como reino de sacerdotes perante os povos: "Sejam santos, pois eu, o SENHOR, seu Deus, sou santo" (Lv 19.2; veja também Lv 20.7; 1Pe 1.15-16). E o fato de o apóstolo mencionar a realidade da adoção em Efésios 1.5 é de igual modo crucial,

40 RECRIADOS PELA GRAÇA

pois trata-se de um tema que o mesmo Paulo desenvolve em Romanos em explícita conexão com a vocação de Israel de ser luz para as nações (cf. Rm 8—11; Êx 4.22; Os 11.1).

A realidade que amarra todas as afirmações em Efésios 1.3-14 é a vida, morte e ressurreição de Cristo — o verdadeiro messias de Israel, aquele que cumpriu toda a vocação do povo de Deus com perfeição e, por isso, pôde nos representar definitivamente perante o Criador.[5] Nesse ponto, Paulo está em fina sintonia com a teologia do Evangelho de Mateus, em que Jesus é retratado como aquele que toma sobre si e recapitula de forma plena a vocação de Israel (Mt 1—4), e por isso as nações podem ser finalmente incluídas no povo escatológico por meio do batismo e do discipulado (Mt 28.16-20).[6] Ou seja, Deus nos abençoou com todas as bênçãos espirituais "em Cristo" (1.3), nos amou e nos escolheu "em Cristo" (1.4), nos predestinou para a adoção "por meio de Cristo" (1.5), nos concedeu todas essas riquezas "em Cristo" (1.6), estendeu a nós o perdão de pecados "em Cristo" (1.7), fez todas as coisas nos céus e na terra convergirem "em Cristo" (1.10) e nos tornou herdeiros da nova criação "em Cristo" (1.11).

---

[5] É amplamente aceito pelos eruditos que a expressão preferida de Paulo "Deus e Pai de nosso Senhor Jesus Cristo" é uma adaptação da *Shemá Israel* — "Ouça, ó Israel! O Senhor, nosso Deus, o Senhor é único!" (Dt 6.4) — e identifica Jesus com a identidade de Yahweh. Isso sugere que Paulo compreende Jesus como alguém cuja autoridade ultrapassa em muito a de um messias apenas humano. De todo modo, esse pano de fundo deuteronômico da invocação paulina indica que a história de Israel é a matriz conceitual necessária para entender o que Deus de fato realizou em Jesus.

[6] Veja Cho, *O enredo da salvação*, p. 119-29; e idem, "To Keep Everything Jesus Commanded: Teaching as Modeling Obedience in the Gospel of Matthew", em *It's About Life: The Transformative Power of Scripture* (Vancouver: Regent College Publishing, 2023), p. 31-46.

E tudo isso, cabe enfatizar, associado à graça que recebemos de confiar somente "em Cristo" (1.12-13).

Ser eleito e predestinado, portanto, é ser incluído nos propósitos redentivos que Deus deseja realizar no mundo por meio de seu povo a partir daquilo que o messias — o representante supremo desse mesmo povo — conquistou. Quando Paulo fala de eleição e predestinação, ele trata de um assunto missiológico, não somente soteriológico. Em Cristo, a igreja é o povo escatológico de Deus formado por judeus e gentios para "lhe dar glória" (1.12). Trocando em miúdos, todas as bênçãos espirituais que recebemos em Cristo são fruto da iniciativa soberana de Deus. Essa iniciativa soberana de Deus, por sua vez, tem em vista a formação de um povo que deve servir de amostra visível do caráter do Criador ao mundo. E, no centro de tudo isso, está Cristo.

É por isso que o simples ato de falar de tudo que Deus realizou em Jesus, para Paulo, deve acontecer na forma de adoração. Não há como descrever as bênçãos que Deus derramou sobre nós em Cristo sem declarar ao mesmo tempo: "todo louvor seja dado a Deus, o Pai de nosso Senhor Jesus Cristo" (1.3). E não há como descrever as bênçãos que Deus derramou sobre nós em Cristo sem concluir que todas essas coisas aconteceram "para o louvor de sua glória" (1.14). Tudo começa em Deus, e tudo termina em Deus.

Em termos mais específicos, o que são essas muitas bênçãos espirituais com as quais fomos abençoados em Cristo? É impossível esgotar em um estudo como este tudo que Paulo fala nos versos 4-14, mas podemos mencionar quatro temas-chave que resumem quais são essas bênçãos que temos em Cristo e por que a primeira resposta que devemos dar ao evangelho é bendizer a Deus para sempre.

42 RECRIADOS PELA GRAÇA

O primeiro tema-chave é a remissão de nossos pecados. "Todo louvor seja a Deus, o Pai de nosso Senhor Jesus Cristo", porque por meio de nosso Senhor Jesus Cristo fomos resgatados de nossa condição caída, separada de Deus e inteiramente sujeita às consequências de nossos pecados. Porque Jesus viveu em obediência perfeita a Deus, a ponto de derramar o próprio sangue na cruz para vencer a morte em nosso lugar (veja também Fp 2.5-11), hoje temos acesso à própria vida de Deus: "Ele é tão rico em graça que comprou nossa liberdade com o sangue de seu Filho e perdoou nossos pecados. Generosamente, derramou sua graça sobre nós e, com ela, toda sabedoria e todo entendimento" (1.7-8). Ser igreja, portanto, começa no reconhecimento de que o que merecíamos era a morte, mas estamos vivos perante Deus graças ao sangue derramado por Jesus.

O segundo tema-chave é a restauração de todo o cosmo. "Todo louvor seja a Deus, o Pai de nosso Senhor Jesus Cristo", porque por meio de Jesus Cristo não somente nós, mas também o universo inteiro foi recolocado debaixo do senhorio do Criador. Uma vez que Jesus venceu a morte, céus e terra — a esfera da habitação de Deus e o mundo criado — não estão mais alienados, em inimizade: "Agora Deus nos revelou sua vontade secreta a respeito de Cristo, isto é, o cumprimento de seu bom propósito. E o plano é este: no devido tempo, ele reunirá sob a autoridade de Cristo tudo que existe nos céus e na terra" (1.9-10). É para isso que aponta a expressão "domínios celestiais" no verso 3: não há nada no universo, seja na terra seja nos céus, que não pertença agora a Cristo. Nem mesmo o domínio atribuído a Ártemis, cuja imagem suntuosa em Éfeso havia sido construída para convencer seus adoradores de seu poder nos céus, fugia da autoridade que pertence somente a Cristo. O verbo grego traduzido na NVT por "reunirá sob a autoridade de" é *anakephalaioō*, que significa "colocar debaixo da cabeça". Essa ideia permanecerá importante no restante de Efésios, principalmente quando Paulo comparar a igreja com o Corpo de Cristo, que é o cabeça (por exemplo, em 1.22). Por ora, basta saber que o universo já não caminha em direção à destruição caótica decorrente do pecado humano, mas tem sua restauração futura assegurada por aquele que vive para sempre e é o cabeça de todas as coisas criadas por Deus. Ser igreja, portanto, começa na esperança de que, graças àquilo que Jesus realizou, a restauração do universo está assegurada.

O terceiro tema-chave é a herança da glória futura. "Todo louvor seja a Deus, o Pai de nosso Senhor Jesus Cristo", porque por meio da obra de nosso Senhor Jesus Cristo — seu sangue redentor derramado na cruz e sua autoridade sobre céus e terra na ressurreição — nós herdaremos o universo plenamente restaurado. O mundo vindouro, com todas as suas riquezas, em comparação com as quais o maior prêmio da loteria americana parecerá esmola, será nosso em Cristo: "Além disso, em Cristo nós nos tornamos herdeiros de Deus, pois ele nos predestinou conforme seu plano e faz que tudo ocorra de acordo com sua vontade. O propósito de Deus era que nós, os primeiros a confiar em Cristo, louvássemos a Deus e lhe déssemos glória" (1.11-12). Ser igreja, portanto, começa com a certeza de que, graças àquilo que Jesus realizou, herdaremos tudo que Cristo conquistou em sua vida, morte e ressurreição.

E o quarto tema-chave é a presença do Espírito Santo entre aqueles que pertencem a Cristo. "Todo louvor seja a Deus, o Pai de nosso Senhor Jesus Cristo", porque por meio

44 RECRIADOS PELA GRAÇA

da obra de Jesus Cristo nós não caminhamos sozinhos em direção a um fim incerto — a própria presença de Deus se faz manifesta em nosso meio na pessoa do Espírito Santo, que nos acompanha até a consumação dos séculos. "Agora vocês também ouviram a verdade, as boas-novas da salvação. E, quando creram em Cristo, ele colocou sobre vocês o selo do Espírito Santo que havia prometido. O Espírito é a garantia de nossa herança, até o dia em que Deus nos resgatará como sua propriedade, para o louvor de sua glória" (1.13-14). Embora ainda vivamos em um mundo marcado por Gênesis 3, a realidade do mundo restaurado, inaugurada por Jesus, é experimentada de forma concreta pela presença do Espírito Santo em nosso meio. O Espírito Santo, aliás, é o "pagamento de entrada" — o grego *arrabōn* conota "penhor" — que garante a dádiva de nossa herança futura. Ser igreja, portanto, não é uma experiência meramente cognitiva ou sentimental, mas é a realidade concreta de que o próprio Deus fez morada em nós, graças àquilo que Jesus realizou.

Com tudo isso em mente, podemos retornar ao ponto anterior, sobre a iniciativa soberana de Deus de nos conceder toda essa graça, e compreender ainda melhor por que todo louvor deve ser dado ao Pai de nosso Senhor Jesus Cristo. Todas essas bênçãos espirituais nos domínios celestiais que acabamos de examinar foram designadas antes de qualquer coisa ter vindo a existir. Antes do Big Bang, antes que a primeira estrela houvesse despontado no universo, antes mesmo que o primeiro anjo houvesse sido criado, Deus já havia decidido nos resgatar de nossos pecados, redimir toda a criação, fazer de nós herdeiros do mundo ressurreto e habitar entre nós por meio de seu Espírito. Antes da fundação do mundo, Deus já havia traçado a obra de salvação que Jesus realizaria. E na eternidade passada, antes da fundação do mundo, Deus já havia imaginado a igreja. O Criador já sabia de antemão que todos nós seguiríamos o mesmo caminho de autonomia de Adão e Eva, mas, ainda assim, segundo seu maravilhoso propósito, planejou o caminho de salvação por meio de Jesus. As bênçãos espirituais nos domínios celestiais não correspondem a um "plano B" de Deus. Elas sempre foram parte central da razão por que Deus nos criou. Isso significa que a igreja não é nada mais e nada menos que o fruto visível da graça eterna de Deus, que sempre ocupou o cerne de seu caráter.

Quando Paulo diz que a igreja foi abençoada em Cristo com *todas* as bênçãos espirituais nos domínios celestiais, ele quer dizer "todas" no sentido mais completo do termo. O que Deus nos deu, inteiramente por sua graça e pelo mérito exclusivo de Cristo, engloba absolutamente tudo: o passado, o presente e o futuro; nossa posição perante Deus; nossa vocação como seres destinados à sua glória; nossos relacionamentos; e até mesmo nossas posses — não somente a criação restaurada será nossa, mas em especial a presença do próprio Deus. "Todo louvor seja a Deus, o Pai de nosso Senhor Jesus Cristo", porque ele não reteve nada em seu bolso. Em Cristo, o Criador despejou tudo sobre nós! Tudo que diz respeito a Cristo — o Filho de Deus, o ser humano perfeito, ressurreto, vitorioso sobre a morte e ocupante da mais elevada posição de autoridade em todo o universo — foi concedido a nós também pela livre iniciativa de Deus. Ainda que não percebamos isso no dia a dia, principalmente na hora de pagar os boletos na segunda-feira, tudo que é de Cristo é também nosso.

46 RECRIADOS PELA GRAÇA

Em suma, Paulo inicia sua mais clara exposição sobre o significado de ser igreja nos convidando a adorar a Deus porque, em Cristo, Deus fez de nós infinitamente mais ricos que qualquer ganhador da Mega-Sena. Sem Cristo, os maiores bilionários de nosso tempo não passam de mendigos! E tudo isso foi despejado sobre nós inteiramente pela graça, sem que tenhamos colocado um centavo sequer nesse projeto. Paulo inicia Efésios nos lembrando de que, em Cristo, já temos absolutamente tudo. Ser igreja não é se aglomerar nos muitos eventos que promovemos para tentar entender como podemos ser mais abençoados ou como podemos adquirir mais benefícios terrenos. Ser igreja tampouco diz respeito a buscar os melhores métodos de sucesso pelos padrões humanos. Longe disso, ser igreja significa crescer no entendimento de como devemos viver à luz do fato de que, em Cristo, nós já somos as pessoas mais ricas do mundo. E ser igreja é relembrar, dia após dia, onde está nossa verdadeira fortuna. Um dos maiores empecilhos que esta geração de cristãos enfrenta — geração instagrâmica narcisista, que idolatra o sucesso, a visibilidade e a "relevância" — é que, em vez de se aprofundar nas verdades descritas em Efésios 1.3-14, ainda cobiça as riquezas passageiras desta era. Para parafrasear C. S. Lewis, é como se fôssemos príncipes, com pleno acesso à mesa do Rei, mas nos contentássemos com as migalhas que encontramos do lado de fora do palácio.[7] Só podemos viver à altura de nossa identidade como povo de Deus quando entendemos que tudo que somos e temos está naquilo que Deus já realizou em Cristo. Em Cristo, somos muito mais ricos do que imaginamos: temos o Pai, o Filho, o

---

[7] C. S. Lewis, *O peso da glória* (Rio de Janeiro: Thomas Nelson Brasil, 2017).

Espírito e tudo mais que pertence a Deus. "Todo louvor seja a Deus, o Pai de nosso Senhor Jesus Cristo, que nos abençoou em Cristo com todas as bênçãos espirituais nos domínios celestiais."

2
Ponto, ponto, ponto:
Lentes novas para enxergar a realidade

....

Desde que eu soube de sua fé no Senhor Jesus e de seu amor pelo povo santo em toda parte, não deixo de agradecer a Deus por vocês. Em minhas orações, peço que Deus, o Pai glorioso de nosso Senhor Jesus Cristo, lhes dê sabedoria espiritual e entendimento para que cresçam no conhecimento dele. Oro para que seu coração seja iluminado, a fim de que compreendam a esperança concedida àqueles que ele chamou e a rica e gloriosa herança que ele deu a seu povo santo.

Também oro para que entendam a grandeza insuperável do poder de Deus para conosco, os que cremos. É o mesmo poder grandioso que ressuscitou Cristo dos mortos e o fez sentar-se no lugar de honra, à direita de Deus, nos domínios celestiais. Agora ele está muito acima de qualquer governante, autoridade, poder, líder ou qualquer outro nome não apenas neste mundo, mas também no futuro. Deus submeteu todas as coisas à autoridade de Cristo e o fez cabeça de tudo, para o bem da igreja. E a igreja é seu corpo; ela é preenchida e completada por Cristo, que enche consigo mesmo todas as coisas em toda parte.

EFÉSIOS 1.15-23

....

Antes de me tornar pastor e professor de Bíblia, cheguei a dedicar alguns anos da minha vida a aspirante a marqueteiro-publicitário. Acontece que minha vida era tão desvairada

50 RECRIADOS PELA GRAÇA

naquela época que eu me lembro pouquíssimo do conteúdo que recebi na faculdade. (Foi no finalzinho do terceiro ano do meu bacharelado, um tanto perdido na vida, que Jesus me encontrou e me possibilitou um futuro diferente.) Mas, de todas as lições que aprendi naqueles quatro anos cursando Comunicação Social, uma das únicas de que consigo me lembrar bem é a seguinte: "ponto, ponto, ponto". Os professores costumavam dizer que o ponto de venda era o componente mais importante para o sucesso de um negócio. E a lógica é tão simples que soa até autoevidente: é a localização — e, consequentemente, a visibilidade — de um produto ou serviço que possibilitará sua exposição ao público. É fato conhecido, aliás, que o preço dos produtos nos mercados varia bastante de acordo com sua localização — com seu ponto — nas gôndolas. Daí também a razão de quase sempre os doces se encontrarem nas prateleiras mais baixas, onde as crianças conseguem alcançar. E o grande trunfo da revolução virtual é que, com a internet, o ponto agora pode ir até (literalmente) a palma da mão do consumidor, de modo que as visualizações, em grande medida, substituíram o movimento nas ruas ou nos locais de compra. O princípio, todavia, é o mesmo: "ponto, ponto, ponto".

A importância da localização se aplica não somente às práticas mercadológicas, mas às questões mais fundamentais na vida — a lógica do "ponto, ponto, ponto" é elementar também para a maneira como concebemos o sentido da vida. Todos enxergamos a realidade a partir de um ponto de vista e, consequentemente, nossas escolhas refletem a perspectiva específica que aprendemos a adotar, quer tenhamos consciência disso quer não, com todas as experiências e informações que adquirimos ao longo de nossa caminhada.[1] E a implicação disso não poderia ser mais profunda: já que sempre construímos nossos valores a partir de nossa localização, é imperativo que nos perguntemos se nosso ângulo de visão tem sido adequado para nos orientar na direção que devemos seguir. Se quisermos permanecer no caminho do discipulado de Jesus com fidelidade, é necessário aprendermos a enxergar toda a realidade pela perspectiva correta.

No capítulo anterior, vimos que Paulo inicia sua exposição do evangelho e do significado de ser igreja convidando seus leitores a reconhecer que tudo começa e termina em Deus — em seu plano eterno e soberano de restaurar todas as coisas por meio da vida, morte e ressurreição de Jesus. E o que Paulo nos lembra logo de cara é que Deus deve ser louvado porque, desde antes da fundação do mundo, ele já havia decidido fazer de nós as criaturas mais ricas do universo: ele nos redimiu pelo sangue de Jesus, colocou todas as coisas "nos céus e na terra" debaixo do domínio de nosso Rei, nos adotou como filhos para que fôssemos transformados à imagem dele, nos incluiu no rol de herdeiros do cosmo restaurado e nos concedeu a presença de seu Espírito — ou seja, Deus nos "abençoou com todas as bênçãos espirituais nos domínios celestiais".

No entanto, embora as realidades descritas em Efésios 1.3-14 tenham provocado em nós um impulso quase que instintivo de responder a Deus em adoração por tudo aquilo que ele nos deu em Cristo Jesus, é bem provável que

---

[1] O reconhecimento de nossa localização foi uma das grandes contribuições da pós-modernidade. Para uma discussão mais extensa, veja John G. Stackhouse Jr., *Humble Apologetics: Defending the Faith Today* (Oxford: Oxford University Press, 2002), p. 22-37.

52 RECRIADOS PELA GRAÇA

tenhamos sido acometidos também por um senso de deslocamento quanto ao que experimentamos no mundo em que habitamos. Bombardeados pelas muitas cosmovisões rivais que nos cercam — seja no ambiente de trabalho, nas redes sociais ou nas diversas interações pessoais que temos diariamente — e habituados aos ritmos litúrgicos que colocam os apetites de nosso coração em desarmonia com nosso Criador, a percepção que adquirimos das coisas que Paulo acabou de descrever pode ter se tornado embaçada, assim que viramos a página. O texto de Efésios 1.3-14 nos maravilha, mas, tão logo colocamos os pés para fora de casa, nos esquecemos do quão ricos somos. Quer dizer, a segunda-feira insiste em mudar o ângulo de nossa visão, o que dificulta diferenciar ilusão de realidade.

É bastante relevante, assim, que o convite de Paulo a que louvemos a Deus por todas as coisas realizadas em Cristo desemboque em uma oração. Paulo sabe muito bem que o evangelho não se reduz a meras informações teóricas — o evangelho não é como fazer tabuada, que memorizamos uma vez e, pronto, podemos passar no teste. Essa é a dificuldade de quem cresceu em igrejas que focam a mera formalidade da catequese, sem atentar para a finalidade da catequese, que é a semelhança a Cristo. Mas, na verdade, todas as verdades que Paulo afirma em Efésios 1.3-14 têm como fim a nossa transformação à imagem de Cristo (veja de novo 1.4-5). Crer no evangelho não é apenas concordar com algumas afirmações e sentir-se bem com isso. Antes, é submeter todas as nossas decisões e todo o nosso jeito de ser ao senhorio de Jesus. Então, por mais importante que seja compreender as palavras de Paulo em Efésios 1.3-14, essas realidades devem ser assimiladas *no coração*. Como dizia Calvino, "a verdadeira doutrina não é um assunto da língua, mas da vida; não é apreendida apenas pelo intelecto ou pela memória, como outros ramos da aprendizagem. Em vez disso, a doutrina é recebida corretamente somente quando domina toda a alma e encontra abrigo e morada nas afeições mais íntimas do coração".[2] E isso, cabe enfatizar, só pode acontecer pela ação do Espírito Santo. Por essa razão, no momento em que Paulo louva a Deus pelo evangelho, ele imediatamente *ora* por seus leitores — uma oração, aliás, que é "incessante". Paulo sabe que entender o evangelho é algo tão profundo que só pode acontecer pela ação de Deus. E é na oração perseverante que encontramos o espaço onde Deus age em nós.

Agora, não sei se você já percebeu isso, mas por vezes nossas orações falam muito mais sobre nós e sobre o que cremos sobre Deus, do que sobre o próprio Deus. Nossas orações denunciam nossas reais afeições, nossos anseios mais profundos. De forma muito perceptiva, Agostinho de Hipona afirmou que, para conhecer um povo de verdade, basta observar o que eles amam.[3] Podemos ir além e aplicar isso à vida de oração: mostra-me como oras, e eu direi quem tu és — pois é em nossa vida de oração que descobrimos o que de fato amamos. Não é à toa que, no centro do Sermão do Monte, o retrato falado que o messias desenha da vida de uma pessoa bem-aventurada, que vive segundo a justiça do reino dos céus, Jesus ensine seus discípulos a orar (Mt 6.5-15). O conteúdo da oração de Paulo em Efésios 1.15-23, portanto, não é mero detalhe. Na verdade, a oração de Paulo nos ensina

---

[2] John Calvin, *A Little Book on Christian Life*, traduzido e editado por Aaron C. Denlinger e Burr Parsons (Sanford: Lingonier, 2017), p. 12.
[3] Aurelius Augustine, *The City of God, Volume II*, traduzido e editado por Marcus Dods (Edinburgh: T&T Clark, 2014), p. 340.

54 RECRIADOS PELA GRAÇA

como as verdades descritas em Efésios 1.3-14 podem se tornar cada vez mais tangíveis em todas as áreas de nossa vida. É claro que prestar atenção às palavras de Paulo aqui não nos leva a desprezar outras formas de oração — como, por exemplo, os salmos e o chamado Pai Nosso (Mt 6.5-15) —, já que o próprio Jesus nos ensinou a praticar nossa comunhão com Deus seguindo esses modelos. Mas a oração de Paulo em Efésios 1.15-23 é como uma bússola que nos ajuda a perceber onde estamos e que nos dá o norte de que precisamos para viver à luz de Efésios 1.3-14. E, veja só, a ênfase que Paulo dá em Efésios 1.15-23 pode ser resumida em uma única palavra: "ponto, ponto, ponto".

Paulo começa sua oração dando graças a Deus, assim como todos nós fazemos diariamente. O que nos chama a atenção, contudo, é a real razão da gratidão de Paulo: "Desde que eu soube de sua fé no Senhor Jesus e de seu amor pelo povo santo em toda parte, não deixo de agradecer a Deus por vocês" (1.15-16). Isto é, de todas as coisas pelas quais Paulo poderia ter agradecido a Deus — e, realmente, havia motivos de sobra —, a mais importante era que o maior milagre de todos já tinha acontecido, quando os leitores de Efésios creram no evangelho, depositaram sua confiança em Jesus e passaram a fazer parte da igreja. E, porque Paulo entende que não há bênção maior do que a possibilidade de crer no evangelho, sua gratidão pela fé e pelo amor de seus leitores naturalmente o leva a orar pela contínua clareza da *visão* deles: "peço que Deus, o Pai glorioso de nosso Senhor Jesus Cristo, lhes dê sabedoria espiritual e entendimento para que cresçam no conhecimento dele. Oro para que seu coração seja iluminado, a fim de que compreendam a esperança concedida àqueles que ele chamou e a rica e gloriosa herança que ele deu a seu povo santo. Também oro para que entendam a grandeza insuperável do poder de Deus para conosco, os que cremos" (1.17-19).

De início, Paulo ora para que cresçamos no "conhecimento" de Cristo. O termo grego *epignōsis*, traduzido por "conhecimento" na NVT, conota um conhecimento real, verdadeiro, completo — não apenas intelectual ou emocional. A oração de Paulo é motivada pela convicção de que não há nada de que você e eu precisemos mais do que conhecer a Cristo plenamente. Neste exato momento, é possível que alguns de nós estejamos em necessidade de um novo emprego, de mais saúde, de uma carreira mais segura. Paulo nos garante, em todo caso, que jamais precisaremos de algo mais do que crescer no conhecimento do Deus encarnado que cumpriu a vocação humana de forma perfeita, venceu a nossa morte e está sobre o trono do universo para sempre.

Contudo, esse conhecimento pleno só pode ser recebido quando aprendemos a *enxergar* o evangelho com o íntimo de nosso ser. A palavra que é traduzida por "coração" na NVT é, no grego, *ophthalmoi tēs kardias* — literalmente, "olhos do coração". O ponto é que, para que possamos perceber as realidades concretizadas por Cristo, não basta mudar de ângulo, receber algumas informações ou experimentar uma catarse. Os efeitos de nossa autonomia e do caos que acomete o mundo a partir de nosso interior, desde Gênesis 3, não geraram apenas um pequeno deslocamento de vista, uma miopia. O pecado nos cegou por completo, nos deixou incapazes de enxergar a glória de Deus. Assim, para que possamos crescer no pleno conhecimento de Cristo, precisamos que o Espírito Santo ilumine os *olhos de nosso coração*

56 RECRIADOS PELA GRAÇA

— o centro gravitacional de nossas vontades. E é por isso que Paulo ora a Deus.

Em termos mais específicos, Paulo ora para que Deus ilumine os olhos do coração de seus leitores, de modo que jamais percamos de vista qual é a "esperança concedida àqueles que ele chamou e a rica e gloriosa herança que ele deu a seu povo santo". Em Cristo, fomos chamados à esperança da imortalidade, da vida eterna com Deus. O problema é que nem todas as circunstâncias em nosso entorno materializam essa verdade, já que o reino de Deus ainda não foi consumado. Aliás, conforme veremos no terceiro capítulo de Efésios, é de uma prisão que Paulo escreve apaixonadamente sobre a herança que temos em Cristo, isto é, da condição de alguém sujeito a todas as inconveniências que a vida pós-Gênesis 3 insiste em ocasionar! Só que a grande sacada é precisamente esta: embora um prisioneiro, Paulo não se envergonha do evangelho, pois ele sabe que, no evangelho, o povo de Deus já é muito mais rico do que o mundo pode imaginar. Paulo não se cansa de repetir: em Cristo, somos herdeiros do mundo vindouro, de novos céus e nova terra, da restauração, da adoção eterna.

Além disso, Paulo ora para que Deus ilumine os olhos do coração de seus leitores, de modo que compreendamos "a grandeza insuperável do poder de Deus para conosco". Deste lado da história, não nos apropriaremos por completo da herança eterna, mas o poder de Deus, que foi capaz de concretizar o reino de Deus na ressurreição de Jesus, já está presente entre nós, realizando sua nova criação. "Agora ele está muito acima de qualquer governante, autoridade, poder, líder ou qualquer outro nome não apenas neste mundo, mas também no futuro. Deus submeteu todas as coisas à autoridade de Cristo e o fez cabeça de tudo, para o bem da igreja" (1.21-22). Cristo já venceu a morte, o sepulcro dele já está vazio, e o trono do universo já está ocupado por ele. Todo o restante está agora sob o domínio daquele que ressuscitou — inclusive a autoridade e o poder que muitos em Éfeso atribuíam a Ártemis. A ressurreição de Jesus muda absolutamente tudo! Como Darrell Johnson costuma dizer em seus sermões, "O cabeça da igreja é o cabeça de todo o universo, de todas as coisas nos céus e na terra". O cabeça da igreja, portanto, tem todo o poder. No texto grego do verso 19, Paulo usa uma série de sinônimos para enfatizar que o poder que pertence a Jesus é de uma natureza categoricamente diferente, sem igual. Paulo fala da "inigualável grandiosidade do poder [*dynameōs*] de Cristo que é em favor de nós, que cremos segundo a energia [*energeian*] da força [*kratous*] de sua potência [*ischyos*]". É poder que não acaba! Assim, poucas coisas são tão importantes do que conhecer esse mesmo poder que opera em nós, a despeito de nossa enorme fraqueza, para que experimentemos esse poder, revelado na ressurreição de Cristo, o cabeça de todo o universo, conforme somos transformados segundo ele.

Onde tem repousado nossa esperança? Em nossa carreira? Em nossos investimentos no mercado financeiro? Na fama que o YouTube nos oferece? No prestígio de nossos títulos acadêmicos? Na posição que ocupamos na sociedade? Em ideologias políticas? Será que temos vivido à luz da herança que temos em Cristo, mesmo quando a vida não nos visita com aquilo que tanto sonhamos? As tarefas que temos realizado no cotidiano — no trabalho, em nossos relacionamentos — são orientadas pelo fato histórico de que o sepulcro de

58 RECRIADOS PELA GRAÇA

Jesus está vazio? Temos vivido conforme o senhorio daquele que venceu a morte?

O que pode ser mais importante que pedir a Deus que ilumine os olhos de nosso coração? Ser igreja é aprender a viver com os olhos na esperança de que seremos como Jesus. Ser igreja é aprender a construir toda nossa vida sobre a herança que já temos em Cristo, ainda que vivamos em um mundo cheio de mazelas. Ser igreja é entender a diferença que a ressurreição de Jesus faz.

Um último ponto a ser mencionado sobre a oração de Paulo é que a "iluminação dos olhos de nosso coração" não ocorre de forma esotérica ou individualista. Longe disso, o contexto no qual o Espírito Santo nos ajuda nesse sentido é a comunidade da fé, a igreja. Isso explica por que, ao agradecer a Deus pela "fé" de seus leitores, o apóstolo jamais separa isso do "amor pelo povo santo" (1.15). Quem diz ter fé em Jesus mas não tem amor pela igreja é como aquele lunático que mencionamos no capítulo anterior. Não por coincidência, todos os verbos, assim como todos os pronomes em Efésios 1.15-23, estão no plural, indicando uma ênfase coletiva do que Deus deseja realizar em nós. Desse modo, ao mesmo tempo que a oração de Paulo busca reorientar nosso olhar para o futuro que foi garantido pela obra de Cristo, ela também indica que esse futuro já pode ser experimentado, ainda que parcialmente, na igreja, na comunidade da fé, entre os discípulos do Cristo ressurreto.

Isso explica por que, no verso 18, Paulo afirma que a riqueza de nossa herança se faz visível no "povo santo"; e, nos versos 22-23, o apóstolo sublinha a verdade de que toda a autoridade de Cristo se expressa ao mundo por meio da igreja: "Deus submeteu todas as coisas à autoridade de Cristo e o fez cabeça de tudo, para o bem da igreja. E a igreja é seu corpo; ela é preenchida e completada por Cristo, que enche consigo mesmo todas as coisas em toda parte" (2.22-23). Cristo é o ponto de intersecção entre o mundo vindouro e o mundo presente, entre Gênesis 3 e Apocalipse 21—22. E a igreja é o espaço onde essa realidade pode ser percebida. Ao orar para que Deus nos dê pleno conhecimento de Cristo, portanto, Paulo ora também para que Deus nos dê pleno conhecimento do que significa ser igreja. A igreja é o espaço onde o mundo conhece o senhorio de Cristo. A igreja é o povo que comprova que Jesus definitivamente venceu a morte. Você já se perguntou o que é a igreja, ou para que ela serve? É para isto: crescer no pleno conhecimento de Cristo e expressar a realidade de que Cristo está vivo.

Sejamos, então, confrontados pela oração de Paulo. Não chama a atenção o contraste entre as coisas que Paulo acha prioritário apresentar a Deus e as nossas próprias listas de petições? Esse contraste reflete a necessidade de aprendermos a orar como Paulo em Efésios 1.15-23: nossas orações são medíocres e nossa vida como discípulos fica estagnada — ainda que tenhamos crescido na igreja (ou principalmente por causa disso em alguns casos) — porque nossos olhos perderam de vista a esperança de nosso chamado, as riquezas de nossa gloriosa herança em Cristo e o seu poder, que agiu em sua ressurreição e continua a agir em nossa vida até que a nossa própria ressurreição aconteça.

Por outro lado, sejamos de igual modo encorajados pela oração de Paulo. Ela nos oferece um modelo do que deve ocupar o centro de nossas agendas como povo de Deus. A oração de Paulo nos lembra de que, mais importante do que ter sucesso aos olhos das pessoas, é ser uma comunidade que ora. O evangelho só pode ser assimilado por nós e por aqueles que nos ouvem pela ação do Espírito Santo em nosso coração — e o espaço onde isso acontece é a oração. E Efésios 1.15-23 nos lembra da importância de orar pelo que é importante, e nada importa mais que o pleno conhecimento de Cristo. Toda a nossa energia deve ser gasta em aprender a viver com os olhos na esperança que temos no evangelho, na herança que nos foi assegurada por Cristo e em seu poder que opera em nós. Que Deus nos ajude a sermos um povo que aprende a enxergar todas as coisas pela perspectiva correta.

3
Poemas a partir de ruínas: Salvos da morte para sermos obras-primas

....

Vocês estavam mortos por causa de sua desobediência e de seus muitos pecados, nos quais costumavam viver, como o resto do mundo, obedecendo ao comandante dos poderes do mundo invisível. Ele é o espírito que opera no coração dos que se recusam a obedecer. Todos nós vivíamos desse modo, seguindo os desejos ardentes e as inclinações de nossa natureza humana. Éramos, por natureza, merecedores da ira, como os demais.

Mas Deus é tão rico em misericórdia e nos amou tanto que, embora estivéssemos mortos por causa de nossos pecados, ele nos deu vida juntamente com Cristo. É pela graça que vocês são salvos! Pois ele nos ressuscitou com Cristo e nos fez sentar com ele nos domínios celestiais, porque agora estamos em Cristo Jesus. Portanto, nas eras futuras, Deus poderá apontar-nos como exemplos da riqueza insuperável de sua graça, revelada na bondade que ele demonstrou por nós em Cristo Jesus.

Vocês são salvos pela graça, por meio da fé. Isso não vem de vocês; é uma dádiva de Deus. Não é uma recompensa pela prática de boas obras, para que ninguém venha a se orgulhar. Pois somos obra-prima de Deus, criados em Cristo Jesus a fim de realizar as boas obras que ele de antemão planejou para nós.

EFÉSIOS 2.1-10

....

62 RECRIADOS PELA GRAÇA

Um dos episódios da série documental *Home* conta a história de Theaster Gates, um artista e planejador urbano da zona sul da cidade de Chicago, nos Estados Unidos. Caso o leitor não saiba, essa região apresenta um dos maiores índices de criminalidade e pobreza na América no Norte, repleta de edifícios abandonados e em ruínas. (Em 2012, quando participávamos do congresso anual da Society of Biblical Literature em Chicago, meu amigo e eu erramos o caminho para um dos centros de convenções e acabamos parando bem no miolo dessa região, durante a noite. Foi a primeira vez que meus instintos me colocaram no modo de alerta em um "país de primeiro mundo".) E o que mais suscitou admiração na história de Gates foi sua capacidade de enxergar beleza nos prédios mais sucateados, mesmo quando inteiramente destruídos, de modo que o produto final pudesse se tornar um oásis naquela área da cidade. É inspirador ver um artista produzir algo belo a partir de destroços, não é mesmo? No caso de Gates, suas obras têm tido a capacidade de trazer tamanha transformação ao entorno que é impossível não se espantar com a genialidade do próprio artista, como alguém que tem um amor genuíno por aquele lugar. E, enquanto eu era apresentado à história de Gates, lembrei-me da relevância das palavras de Paulo em Efésios 2.1-10.

Até este ponto de nossa caminhada por essa importante porção do Novo Testamento, vimos que Paulo explica o real significado de ser povo de Deus. Fazer isso era importante, porque a audiência original de Efésios, profundamente imersa nos costumes greco-romanos predominantes na Ásia Menor e na atmosfera religiosa do culto a Ártemis, vivia cercada de visões de mundo e de padrões de vida opostos aos valores do evangelho — não muito diferentemente de nós

POEMAS A PARTIR DE RUÍNAS **63**

hoje. Mas, de uma forma muito instrutiva, Paulo começa sua exposição a respeito do que é ser igreja falando antes de tudo sobre o que Deus realizou de uma vez por todas em Cristo. O que justifica a existência da igreja é o fato histórico de que Deus concretizou a salvação — nossa e de todas as coisas nos céus e na terra — na vida, morte e ressurreição de Jesus. Tudo começa com esta verdade: Deus nos libertou por meio do sangue de Jesus, fez de nós herdeiros do mundo vindouro, nos concedeu a presença de seu próprio Espírito e nos adotou para sermos como ele. Deus nos abençoou com todas as bênçãos eternas. Consequentemente, o que os leitores de Efésios precisam, em primeiro lugar, não é de uma lista de tarefas a partir das quais possam se colocar em uma posição aceitável diante de Deus, mas, sim, ter os olhos abertos para enxergar o que Deus já fez por nós, de uma vez por todas, em Cristo Jesus. É por essa razão que Paulo ora em Efésios 1.15-23: para que cresçamos no pleno conhecimento de Cristo, enxergando com clareza o que ele concedeu a nós inteiramente por sua graça e aprendendo a viver à luz dessa percepção.

Algo que é relevante notar, porém, é que até este momento Paulo nem sequer falou diretamente sobre nós. O primeiro capítulo de Efésios começa com "Todo louvor seja a Deus, o Pai de nosso Senhor Jesus Cristo" (1.3) e termina com "Deus submeteu todas as coisas à autoridade de Cristo e o fez cabeça de tudo" (1.22). Compreender o que significa ser igreja é entender que tudo verdadeiramente diz respeito a Deus e ao que ele realizou em Cristo! Quer dizer, "nós" somos de fato mencionados repetidas vezes em Efésios 1, mas apenas como os objetos — os receptores — das ações de Deus na história da redenção. É somente no segundo capítulo, a partir da passagem que examinaremos agora,

64 RECRIADOS PELA GRAÇA

que Paulo começa a falar diretamente a nosso respeito. E é isto o que o apóstolo tem a dizer acerca de nossa contribuição no evangelho: "Vocês estavam mortos por causa de sua desobediência e de seus muitos pecados" (2.1). Percebamos, portanto, o enorme contraste que Paulo destaca entre as afirmações feitas no primeiro capítulo da carta e o que agora é dito sobre nosso papel no plano divino de salvação. Algumas traduções começam Efésios 2.1 com a expressão "Ele lhes deu vida" (por exemplo, a NAA), mas a NVT preserva melhor o contraste implícito na ordem das palavras no texto original, ao dizer "Vocês estavam mortos" — é assim que está no grego: "E estando vocês mortos [*kai hymas ontas nekrous*]". Ou seja, "Todo louvor seja a Deus, o Pai de nosso Senhor Jesus Cristo", porque ele "nos abençoou com todas as bênçãos espirituais nos domínios celestiais" e "submeteu todas as coisas à autoridade de Cristo e o fez cabeça de tudo, para o bem da igreja" — e tudo isso enquanto estávamos mortos, totalmente incapazes de viver ou de produzir vida!

Assim, não é que nossa contribuição no plano de salvação de Deus seja "zero" a partir de uma posição de neutralidade. O evangelho não é um "favorzão" que Deus fez a pessoas que poderiam ter comprado a redenção por elas mesmas. Nossa contribuição para os propósitos salvíficos do Criador foi "zero" a partir de uma posição de completa inabilidade — Paulo nos compara a defuntos. Esse é o grande absurdo de afirmações como "Fulano de Tal é uma pessoa tão boa, só falta Jesus" ou "Fulano de Tal é tão gente boa, só não crê em Jesus". Ora, se falta Jesus, falta tudo. E, se a pessoa não crê em Jesus, pouco poder terá o "ser gente boa" quando ela estiver a sete palmos abaixo da terra. Sem Jesus, estamos mortos. Efésios deixa claro que o evangelho não trata primeiramente de como uma pessoa má pode ser tornar boa. É por causa dessa falácia, aliás, que as pessoas com uma opinião elevada de seus padrões éticos consideram a mensagem de um salvador desnecessária e até inútil. O evangelho trata de como mortos podem ressuscitar e ser novas criaturas. Deus fez o que nós jamais teríamos conseguido fazer, enquanto o que realmente merecíamos era o juízo eterno. Nós estávamos mortos — muito além da possibilidade de sermos reciclados —, mas o Deus e Pai de nosso Senhor Jesus Cristo nos abençoou com todas as bênçãos espirituais. Theaster Gates pode até reconstruir casas maravilhosas a partir de sucata, mas ninguém consegue trazer vida a um vale de ossos secos.

Com efeito, a descrição de Paulo acerca do passado de sua audiência é o retrato mais acurado que alguém poderia fazer da história de todos nós: "Vocês estavam mortos por causa de sua desobediência e de seus muitos pecados, nos quais costumavam viver, como o resto do mundo, obedecendo ao comandante dos poderes do mundo invisível. Ele é o espírito que opera no coração dos que se recusam a obedecer" (2.1-2). É possível que a visão que alguns de meus leitores têm de seu próprio passado sem Cristo não seja tão pessimista assim, principalmente se você sempre se considerou uma pessoa "boazinha". Pela perspectiva de Deus, entretanto, o que de fato acontecia antes de o evangelho chegar a nós era que vivíamos segundo o molde — e debaixo do domínio — das forças do caos decorrentes do pecado. Nós nunca, em nenhum momento de nossa vida antes de Cristo, nos encontramos isentos das influências dos poderes antagônicos a Deus. Isso pode até parecer estranho para alguns, mas essa estranheza se deve ao fato de que somos nós, cidadãos modernos do Ocidente materialista, que nos enganamos ao

66 RECRIADOS PELA GRAÇA

pensar que a realidade se resume apenas àquilo que os olhos podem ver. Acontece que Paulo, sendo um judeu que conhecia muito bem a revelação de Deus nas Escrituras, sabia que o *mindset* de qualquer cultura era, em grande medida, fruto direto de influencias de forças malignas que ganharam espaço após a rebeldia humana em Gênesis 3. E essas mesmas forças malignas permanecem em ação hoje. Isso explica a linguagem um tanto espetacular utilizada em Efésios 2.2: "comandante dos poderes do mundo invisível". Na cosmovisão apocalíptico-judaica de Paulo, há forças invisíveis por trás das dinâmicas de poder que se desdobram na história humana.[1] (É isso que está pressuposto também no enredo do livro de Apocalipse.) Muitos têm notado acertadamente que, em vez de adorar os antigos deuses do amor e do dinheiro, por exemplo, agora praticamos "liberdade sexual" e "acúmulo de patrimônio". Mas não importa quão otimistas possamos ser quanto ao nosso passado, o fato é que, sem Cristo, estávamos mortos em pecados e transgressões, escravos das forças do caos.

E, de fato, a prova de que essa era a nossa condição se encontra na nossa antiga maneira de viver: "Todos nós vivíamos desse modo, seguindo os desejos ardentes e as inclinações de nossa natureza humana. Éramos, por natureza,

---

[1] Para uma introdução acadêmica sobre a visão apocalíptica judaica, veja John J. Collins, *A imaginação apocalíptica: Uma introdução à literatura apocalíptica judaica* (São Paulo: Paulus, 2010). A compreensão de que Paulo foi um judeu apocalíptico tem ganhado forte tração nas últimas décadas, com uma constelação de proponentes: J. Louis Martyn, Beverly R. Gaventa, Douglas A. Campbell e (de forma mais moderada) John Barclay, para mencionar apenas alguns. Para uma discussão recente sobre o assunto, veja Jamie Davies, *The Apocalyptic Paul: Retrospect and Prospect* (Eugene: Cascade, 2022).

merecedores da ira, como os demais" (2.3). Quando lemos essas palavras, podemos até achar que Paulo fala de atitudes consideradas "muito más", tais como a imoralidade, o crime, os vícios. Contudo, seguir "os desejos ardentes e as inclinações de nossa natureza humana" engloba qualquer gesto, qualquer palavra, qualquer decisão que não corresponda ao caráter de Deus: a mentira, o orgulho, a arrogância, a ganância, a avareza, a preguiça, o ódio, o ressentimento, a maledicência, a falta de compaixão — e até mesmo um coração moralista, que mede as demais pessoas sempre de cima para baixo. Não por mera coincidência, Paulo, que se descreve em outro lugar como alguém irrepreensível no tocante à lei de Moisés (Fp 3.5-6) e em Efésios 2.1-2 se dirige a seus leitores na segunda pessoa do plural, agora se inclui nessa realidade: "Todos nós [*hēmeis pantes*] vivíamos desse modo" (Ef 1.3).[2]

No entanto, graças ao Deus e Pai de nosso Senhor Jesus Cristo, nossa história não termina em nossa morte. Nosso destino eterno era o cemitério, longe do Éden, mas o Criador não permitiu que as coisas terminassem assim. Ainda que nos lembre de nosso passado, Paulo logo interrompe essa retrospectiva para dizer, mais uma vez, que Deus tomou sua livre iniciativa, "mesmo antes de criar o mundo", de soprar sua vida sobre nós novamente, quando Jesus ressuscitou dos mortos: "Mas Deus é tão rico em misericórdia e nos amou tanto que, embora estivéssemos mortos por causa de nossos pecados, ele nos deu vida juntamente com Cristo. É pela graça que vocês são salvos! Pois ele nos ressuscitou com Cristo e nos fez sentar com ele nos domínios celestiais, porque agora

---

[2] A segunda pessoa do plural em toda probabilidade é endereçada aos leitores gentílicos, com seu passado pagão.

estamos em Cristo Jesus" (2.4-6). Ah, como eu amo o hábito de Paulo de interromper a retrospectiva de nossa história com a expressão "mas Deus"! E como é importante que Paulo seja repetitivo em suas afirmações sobre o que Deus realizou em Cristo! Aliás, a verdade de que "é pela graça que vocês são salvos" (1.5) ocorre mais uma vez no verso 8: "Vocês são salvos pela graça, por meio da fé. Isso não vem de vocês; é uma dádiva de Deus". E cabe destacar também a redundância presente no texto grego dos versos 4-5: "Deus, porém, sendo rico em misericórdia, por meio do enorme amor com o qual ele nos amou [...] nos vivificou juntamente com Cristo". Quando Deus olhou para nós e só viu morte, ele viu nele mesmo misericórdia e amor transbordantes. E, olhando para si mesmo, Deus fez exatamente isto: enquanto éramos matéria em decomposição no que diz respeito à justiça dele, ele nos deu vida com Cristo, nos reergueu dentre os mortos com Cristo e nos colocou com Cristo sobre o lugar mais elevado nos domínios celestiais. Ao ressuscitar dos mortos, Jesus transpôs o enorme abismo que separava céus e terra e, graças a isso, nós fomos posicionados acima das forças do caos. É como se o monte Everest fosse o abismo que nos separava de nossa posição perante Deus, e uma avalanche tivesse nos soterrado por completo; Jesus, sozinho, subiu até o topo da montanha e nos puxou com ele para lá.

Agora, para muitos evangélicos, parece até que Efésios — ou o próprio evangelho — encerra aqui. Porque, no entendimento de boa parte dos evangélicos que conheço, aquilo que Deus realizou em Cristo serviu apenas para resolver o nosso passado. "Graças a Jesus, meus pecados estão perdoados, eu não carrego mais a culpa e posso viver com a consciência livre daqui para a frente", é o que muitos pensam, embora não tenham coragem de admitir. Mas a parte mais importante da passagem de hoje, que é a conclusão desse contraste que Paulo faz entre o nosso passado e a graça de Deus, deixa muito evidente que Deus fez o que fez tendo em vista um propósito e um resultado que perdura por toda a eternidade. No texto grego, o verso 7 começa com uma palavra bem curta, mas extremamente importante, que é a conjunção *hina*, traduzida na NVT por "Portanto". Essa conjunção indica a ideia de propósito ou resultado. Trocando em miúdos, tudo que Deus realizou em Jesus tinha um propósito específico, um resultado desejado: "nas eras futuras, Deus poderá apontar-nos como exemplos da riqueza insuperável de sua graça, revelada na bondade que ele demonstrou por nós em Cristo Jesus" (2.7). Tudo que Deus realizou em Cristo por nós, ele o fez para tornar seu caráter conhecido no universo. Isso significa que a nossa história — que havia começado em morte, mas, pela misericórdia e pelo amor de Deus, passou a participar da vida e da ressurreição de Cristo — culmina naquilo que Deus quer continuar a realizar em nós pelo evangelho. Somos salvos *de* algo *para* algo: *da* morte *para* expressar as riquezas da graça de Deus. Ser igreja, portanto, é ser o espaço onde o mundo pode enxergar a "riqueza insuperável de sua graça, revelada na bondade que ele demonstrou por nós em Cristo Jesus".

É por isso que Paulo resume tudo que foi dito desde o primeiro capítulo até aqui, colocando o nosso olhar na graça de Deus e naquilo que a graça de Deus deve produzir em nós: "Vocês são salvos pela graça, por meio da fé. Isso não vem de vocês; é uma dádiva de Deus. Não é uma recompensa pela prática de boas obras, para que ninguém venha a se orgulhar. Pois somos obra-prima de Deus, criados em Cristo Jesus a

70 RECRIADOS PELA GRAÇA

fim de realizar as boas obras que ele de antemão planejou para nós" (2.8-10). Essa é uma das passagens mais famosas no Novo Testamento, mas não raro o sentido completo dela passa despercebido. Deus realizou sua obra em Cristo sem que pudéssemos ter feito qualquer contribuição, mas não somente para que tivéssemos uma sensação boa a respeito dele. Ele fez o que fez para que o mundo pudesse ver, por meio da obra de sua graça em nós, quem ele de fato é. Nós somos "obra-prima" de Deus: a igreja é uma obra de arte que serve de janela para que o espectador tenha um vislumbre do coração do artista. A NVT traduz muito bem o termo grego *poiēma* por "obra-prima", pois é isso mesmo que ele conota. A igreja é o "poema" do Criador, que nos encontrou em ruínas mas que nos recriou por meio de Cristo.[3] Quando as pessoas em nosso entorno olham para o povo de Deus, a reação que desejamos ver delas não é: "Que igreja descolada, bem estruturada, rica, influente". A igreja nunca deve ser o assunto principal. Quando nos tornamos o assunto principal, devemos ser lembrados de que não passávamos de materiais em decomposição. O que o mundo deve admirar quando olha para a igreja é a genialidade de seu Senhor: "Que Deus maravilhoso! Que artista fenomenal! Que salvador sublime é esse que manifesta a sua graça entre essas pessoas!". O assunto principal sempre deve ser o Deus e Pai de nosso Senhor Jesus Cristo, aquele que é digno de todo louvor por tudo que realizou — e continua a realizar — por nós.

A pergunta que segue diz respeito a como, em termos mais concretos, podemos viver à altura desse chamado. O que são as "boas obras que Deus de antemão planejou

[3] Wright, *Efésios*, p. 39.

para nós"? Isso são cenas dos próximos capítulos, porque Paulo desenvolverá essa resposta até o final de Efésios. De todo modo, podemos concluir esta parte de nosso estudo fazendo algumas provocações.

Quando pensamos na igreja brasileira de modo geral, o que será que estamos vendo: o caráter do Criador ou algo diferente? Qualquer crença ou prática que não esteja pautada na realidade do que Deus de fato realizou em Cristo, por mais que possa ter o nome de "cristão" e lance mão de um vocabulário aparentemente piedoso, não passa de religiosidade idólatra. Será que as comunidades que temos construído estão realmente alicerçadas na convicção de que é somente a graça de Deus que nos sustenta, já que todos nós, sem exceção, estávamos mortos sem Cristo? Em um momento histórico como o nosso, em que muitas igrejas têm operado segundo a lógica do mercado, será que nós mesmos não passamos a encarar a comunidade da fé como uma fornecedora de serviços, cuja meta é vender um produto religioso ou ser um local de entretenimento? Nossas igrejas possuem clientes, expectadores ou membros genuínos, conscientes de que foram alcançados por um favor inteiramente imerecido? Cremos de verdade que não podemos ser povo de Deus por nosso próprio mérito? Entendemos que a igreja só pode existir por causa da misericórdia e do amor de Deus — e, portanto, a igreja só deve existir para expressar essa realidade?

Isso nos leva a uma outra provocação ensejada pelo verso 9: "Não é uma recompensa pela prática de boas obras, para que ninguém venha a se orgulhar". Paulo insiste que uma implicação imediata do que Deus concretizou no evangelho é a obliteração de qualquer espaço para o orgulho humano. Se o evento-Jesus aconteceu enquanto estávamos mortos em pecados e transgressões, o evangelho jamais permite que nos coloquemos em uma posição que não nos pertence. Nós já estamos em Cristo nas regiões celestiais — e, em Cristo, nós já somos as pessoas mais ricas do mundo. Entretanto, tudo isso somente *em Cristo*. Nada aconteceu por nosso mérito; ninguém tem o direito de se orgulhar. O verbo grego *kauchaomai*, traduzido na NVT por "se orgulhar", conota aqui dois tipos de vanglória: perante Deus, como se tivéssemos alguma coisa com a qual barganhar com ele, e perante nossos irmãos, como se fôssemos mais dignos que eles.

E aqui está a verdade com a qual convém encerrar: o principal empecilho para que sejamos "obras-primas" de Deus é a vanglória. É quando insistimos em definir nossa identidade a partir do cargo que ocupamos, do dinheiro que acumulamos, do bairro onde moramos, do conhecimento que adquirimos, da faculdade que cursamos, das obras de caridade que praticamos, da posição política que professamos — ou de qualquer outra coisa que não seja única e exclusivamente Cristo. Somente Cristo pode trazer ressurreição dos mortos. Assim, no cerne do que significa ser igreja está o entendimento de que a grandiosa obra que Deus realizou em Cristo, inteiramente por sua graça, resulta em humildade. As bênçãos que recebemos em Cristo não são por causa de nós, mas servem para apontar o mundo à genialidade de Cristo. Isso é ser igreja.

4

Um povo de *shalom*: Representantes da nova criação de Deus

....

Não esqueçam que vocês, gentios, eram chamados de "incircuncidados" pelos judeus que se orgulhavam da circuncisão, embora ela fosse apenas um ritual exterior e humano. Naquele tempo, vocês viviam afastados de Cristo. Não tinham os privilégios do povo de Israel e não conheciam as promessas da aliança. Viviam no mundo sem Deus e sem esperança. Agora, porém, estão em Cristo Jesus. Antigamente, estavam distantes de Deus, mas agora foram trazidos para perto dele por meio do sangue de Cristo.

Porque Cristo é nossa paz. Ele uniu judeus e gentios em um só povo ao derrubar o muro de inimizade que nos separava. Ele acabou com o sistema da lei, com seus mandamentos e ordenanças, promovendo a paz ao criar para si, desses dois grupos, uma nova humanidade. Assim, ele os reconciliou com Deus em um só corpo por meio de sua morte na cruz, eliminando a inimizade que havia entre eles.

Ele trouxe essas boas-novas de paz tanto a vocês que estavam distantes dele como aos que estavam perto. Agora, por causa do que Cristo fez, todos temos acesso ao Pai pelo mesmo Espírito.

Portanto, vocês já não são estranhos e forasteiros, mas concidadãos do povo santo e membros da família de Deus. Juntos, somos sua casa, edificados sobre os alicerces dos apóstolos e dos profetas. E a pedra angular é o próprio Cristo Jesus. Nele

74 RECRIADOS PELA GRAÇA

somos firmemente unidos, constituindo um templo santo para o Senhor. Por meio dele, vocês também estão sendo edificados como parte dessa habitação, onde Deus vive por seu Espírito.

Efésios 2.11-22

....

Dias atrás, meu caçula chegou com uma lição de casa que o convidava a gravar um vídeo com objetos de casa que expressavam a identidade de nossa família. "Rafa, quando você pensa na sua família, você se lembra de quê, em primeiro lugar?", foi o trabalho proposto. Essa foi uma daquelas tarefas escolares que ensejaram uma longa conversa ao redor da mesa e provocaram (pelo menos em mim e minha esposa) um oportuno exercício de autoexame. É nessas horas que temos a chance de avaliar o que de fato tem forjado os valores centrais de nossa família, e se a impressão que as pessoas têm sobre nós corresponde à percepção que nossos filhos, os mais implacáveis observadores de nosso caráter, têm sobre quem realmente somos. O ponto é que todos nós vivemos a partir de uma compreensão de nossa identidade. Todos nós agimos e tomamos decisões, das menores às mais importantes, a partir dos absolutos que adotamos. E, ainda que nós mesmos possamos não perceber, são nossas ações cotidianas que melhor denunciam aquilo em que cremos acerca do significado da vida e de nossa humanidade. Assim, além de nos desafiar a refletir sobre como nossos filhos têm percebido as realidades que nos definem como família, tivemos a grata oportunidade de relembrar o que deve estar no centro de quem somos. E acredito que a igreja evangélica se beneficiaria de maneiras inestimáveis se, vez por outra, fizesse esse mesmo exercício.

No capítulo anterior, vimos que, graças à riqueza da misericórdia que Deus demonstrou em Cristo, nós, que estávamos mortos e éramos escravos das forças do caos, fomos libertos e vivificados juntamente com o Filho de Deus. Mas, muito mais que apenas limpar nosso passado, o evangelho nos dá também um novo futuro. Uma vez que fomos colocados juntamente com Cristo acima das forças do caos, fomos capacitados a viver uma nova vida: o evangelho da graça faz de nós obras-primas do Criador — obras que expressam a genialidade do Artista. Efésios 2.11-22, por sua vez, é o resultado lógico de tudo que Paulo vem afirmando até aqui. Se o evangelho faz de nós expressões do caráter do Deus que nos salvou inteiramente por sua iniciativa tomada antes da fundação do mundo, qual deve ser a principal característica que apresentamos como povo?

Antes de mais nada, é necessário explicar que Efésios 2.11-22 está repleto de imagens emprestadas do Antigo Testamento, imagens essas que, indevidamente entendidas, impossibilitam a compreensão do que Paulo comunica aqui. Assim como todos os demais autores do Novo Testamento, o apóstolo escreve para uma audiência constituída predominantemente por crentes no evangelho. Isso significa que Paulo pressupõe um conhecimento mínimo por parte de seus leitores acerca da história que a Bíblia relata. E, nessa passagem, Paulo se vale de três temas centrais do enredo bíblico da salvação.

Em primeiro lugar, a intenção de Deus para o universo sempre foi fazer do universo seu lugar definitivo de habitação, e no centro desse projeto está a vocação humana — o chamado de ser regentes do Criador e agentes dos planos

76 RECRIADOS PELA GRAÇA

divinos.[1] O universo foi criado para experimentar aquilo que, na linguagem bíblica, é descrito pelo termo hebraico *shalom*, que conota harmonia, segurança, florescimento — ou, em um único termo, paz. O propósito fundamental para o qual a humanidade veio à existência, então, sempre foi produzir *shalom* e, assim, refletir a bondade do Deus que criou o cosmo para habitar nele.[2]

Segundo, embora Deus tenha criado o mundo e a humanidade para essa finalidade, todos nós abandonamos esse papel. A humanidade se afastou de Deus, alienando-se de seu marco de referência último e, consequentemente, fazendo-se suscetível a todo tipo de engano, de maneira que nos submetemos à morte e às forças do caos, conforme examinamos na passagem anterior. E, desde que a humanidade se conhece por gente, o pecado manifesta seu poder sobre nós por meio da inimizade, das guerras e da alienação de nossos semelhantes. É instrutivo que Gênesis 3 seja seguido do episódio em que Caim mata seu irmão Abel.

Contudo, o terceiro tema pressuposto por Paulo em Efésios 2.11-22 é que Deus, em vez de desistir de seu plano original, trabalhou para cumpri-lo: a despeito da rebeldia humana, Deus se revelou a Abraão, formou para si o povo de Israel e confiou a esse povo a missão de sinalizar de novo as intenções que o Criador sempre teve para o universo. Não é à toa que, no centro da autopercepção de Israel, estava o lugar de habitação da presença divina: o templo, a representação do desejo de Deus de habitar no universo que ele

---

[1] Veja Cho, *O enredo da salvação*.
[2] Veja Bernardo Cho, *Trabalho, propósito e descanso: A visão bíblica de shalom e o chamado do cristão hoje* (São Paulo: Mundo Cristão, 2022), p. 19-51, 133-46.

havia criado. O problema, é claro, é que, segundo a própria escritura judaica, esse mesmo povo se provaria incapaz de superar por si só as forças do caos e da morte. Como resultado, por muitos e muitos séculos, as nações da terra ficaram privadas da revelação da glória de Deus e da experiência completa do *shalom* de Deus. E o próprio povo de Israel acabou sendo levado ao exílio por um demorado tempo, com a destruição do templo de Jerusalém.

Mas é precisamente isso que Deus, em sua graça e fidelidade imutáveis, resolve na vida, morte e ressurreição de Jesus. Jesus viveu a vocação humana de forma perfeita, subjugou as forças do caos, derrotou a morte e possibilitou a retomada definitiva dos planos de Deus para o cosmo e para a humanidade. Quando Paulo diz, nas passagens anteriores, que Deus "submeteu todas as coisas à autoridade de Cristo" (1.22), "nos ressuscitou com Cristo e nos fez sentar com ele nos domínios celestiais" (2.6), não se trata de mera abstração: é a verdade absoluta que sustenta e dá sentido a todo o universo. Jesus é a culminação da obra redentiva de Deus de restaurar o mundo que ele criou para ser seu lugar de habitação e o espaço onde o seu *shalom* se manifesta.

Quando enxergamos essa riqueza narrativa por trás das coisas que Paulo anuncia em Efésios 2.11-22, fica nítido por que ele decide concluir dessa maneira essa parte de sua carta, destacando o fato de que, uma vez reconciliados com o Criador, nossa vida deve ser caracterizada pela reconciliação com a comunidade da fé. O propósito de Deus para a criação sempre foi que sua presença se manifestasse entre a humanidade, de maneira que seu *shalom* — sua paz e plenitude de vida — fosse estabelecido. A verdadeira paz que Deus declara entre ele e a humanidade, portanto, necessariamente

78 RECRIADOS PELA GRAÇA

produz paz entre a humanidade e ela mesma. Isso significa que o fato de termos sido vivificados juntamente com Cristo não resulta em cada um viver em seu cantinho, "de bem consigo mesmo", como se o evangelho fosse uma versão melhorada da filosofia de vida do filme *Frozen*. (Eu ficaria chocado, mas de modo nenhum surpreso, se descobrisse que há igrejas cantando "Let It Go" em seus cultos dominicais.) O resultado do impacto "vertical" do evangelho é necessariamente "horizontal", comunitário.

É por isso que Paulo insiste que, em Cristo, não há mais separação entre judeus e não judeus no que diz respeito ao acesso à presença e herança de Deus: "Não esqueçam que vocês, gentios, eram chamados de 'incircuncidados' pelos judeus que se orgulhavam da circuncisão, embora ela fosse apenas um ritual exterior e humano. Naquele tempo, vocês viviam afastados de Cristo. Não tinham os privilégios do povo de Israel e não conheciam as promessas da aliança. Viviam no mundo sem Deus e sem esperança. Agora, porém, estão em Cristo Jesus. [...] Portanto, vocês já não são estranhos e forasteiros, mas concidadãos do povo santo e membros da família de Deus" (2.11-13,19). Ao longo da história narrada no Antigo Testamento, a presença do Criador precisava ser mediada por Israel. E, naquele contexto, a missão de Israel deveria acontecer no contexto da observância da lei de Moisés e da adoração a Deus no templo. A dificuldade, no entanto, é que a lei e o templo foram incapazes de libertar Israel da morte e das forças do caos — de fato, a lei e o templo acabaram, inevitavelmente, destacando ainda mais a alienação das demais nações. Jesus, porém, sendo aquele que venceu a morte e as forças do caos, é o único mediador entre Deus e a humanidade. A lei de Moisés e o templo foram

UM POVO DE *SHALOM* **79**

instituições boas e necessárias, mas somente Cristo pôde reverter o problema de Gênesis 3 (veja Rm 6—8). Consequentemente, todos aqueles que estavam "distantes" da presença divina — no caso, os gentios — podem agora se aproximar de Deus por meio de Jesus. Cristo é o cabeça de todo o universo, o ponto de contato entre céus e terra. Não é mais a lei de Moisés ou o templo que possibilitam a participação no povo de Deus, mas Cristo. A cidadania no reino e a membresia na família de Deus agora são estendidas a todo aquele que crê em Jesus, a culminação do plano redentivo do Criador.

O resultado inexorável disso é que o evangelho cria um novo povo, uma nova humanidade: "Porque Cristo é nossa paz. Ele uniu judeus e gentios em um só povo ao derrubar o muro de inimizade que nos separava. Ele acabou com o sistema da lei, com seus mandamentos e ordenanças, promovendo a paz ao criar para si, desses dois grupos, uma nova humanidade. Assim, ele os reconciliou com Deus em um só corpo por meio de sua morte na cruz, eliminando a inimizade que havia entre eles. Ele trouxe essas boas-novas de paz tanto a vocês que estavam distantes dele como aos que estavam perto. Agora, por causa do que Cristo fez, todos temos acesso ao Pai pelo mesmo Espírito" (2.14-18). Dessa forma, por mais maravilhosa que seja a notícia de que o abismo que nos separava de Deus foi transposto e a inimizade que nos afastava de Deus foi resolvida, um evangelho que termina com "eu e Deus" não é o de Jesus. Pois o resultado final da obra de Deus em Cristo é a criação de um povo composto por uma nova humanidade. Deus fez tudo que ele fez em Jesus com a finalidade de trazer à existência uma humanidade recriada pela graça, cuja identidade é reconfigurada por completo em torno de Cristo e cujas relações

80 RECRIADOS PELA GRAÇA

são orientadas por inteiro a partir de Cristo. O evangelho cria, a partir de pessoas que estavam mortas e eram cativas à tirania do pecado, um povo caracterizado pelo *shalom* que Deus restabeleceu no universo em Jesus. Pertencer a Deus significa pertencer ao povo de Deus, e ter paz com Deus significa fazer parte do povo da paz. Não existe cristão, discípulo de Jesus, desconectado da igreja. Nessa passagem, a ênfase de Paulo na destruição da inimizade e na concretização da paz é simplesmente avassaladora. A obra de Cristo é tão perfeita e cabal que até mesmo a separação sublinhada pela lei foi superada.

E esse povo escatológico — essa humanidade recriada pelo evangelho —, ao qual você e eu temos a graça de pertencer, não é uma simples repetição do que vemos no Antigo Testamento, mas é o ponto culminante da história de Israel.[3] A palavra "igreja", com efeito, traduz o termo grego *ekklēsia*, utilizado em referência às "assembleias públicas" no contexto greco-romano. Mas na Septuaginta, utilizada de forma ubíqua entre os primeiros discípulos gentios de Jesus e também com muita frequência por Paulo em seus escritos, *ekklēsia* corresponde ao hebraico *qahāl*, que quase sempre se refere à "congregação de Israel". De forma muito instrutiva para nós, na pregação de Estêvão a alguns líderes de Jerusalém sobre a teologia bíblica do lugar de habitação de Yahweh, o recém-escolhido servo da igreja se refere ao Israel do Antigo Testamento com o termo "congregação [*ekklēsia*]" (At 7.38), termo esse que é também usado poucos capítulos antes na narrativa para falar do "temor [que] se apoderou de toda a igreja [*ekklēsia*]" após o episódio de Ananias e Safira (At 5.11).

---

[3] Veja mais em Cho, *O enredo da salvação*, p. 119-67.

No Novo Testamento, porém, quem ocupa o centro do povo eleito é Jesus, o messias de Israel, que é também o Deus encarnado, que cumpriu a vocação humana, venceu a própria morte e está assentado sobre todos os poderes e todas as autoridades nas regiões celestiais. A presença de Deus não é mais mediada pelas instituições transitórias da lei de Moisés e do templo, mas por aquele que vive para todo sempre.

Assim, a presença de Deus é uma realidade irrevogável entre a igreja, de maneira que não mais precisamos de um templo físico, uma vez que nós mesmos somos o templo de Deus: "Portanto, vocês já não são estranhos e forasteiros, mas concidadãos do povo santo e membros da família de Deus. Juntos, somos sua casa, edificados sobre os alicerces dos apóstolos e dos profetas. E a pedra angular é o próprio Cristo Jesus. Nele somos firmemente unidos, constituindo um templo santo para o Senhor. Por meio dele, vocês também estão sendo edificados como parte dessa habitação, onde Deus vive por seu Espírito" (2.19-22). A imagem de um templo era familiar para qualquer leitor de Paulo, quer judeu (centrado no santuário em Jerusalém) quer gentio (impressionado pelo edifício dedicado a Ártemis). Já que Cristo derrubou "o muro de inimizade que nos separava" (2.14), a igreja tornou-se o espaço onde a presença de Deus faz morada (veja também Ap 21.3). O templo de Salomão, com toda sua grandeza e fama, foi destruído, mas o templo onde o Espírito de Deus habita jamais será destruído. "As forças da morte" não prevalecem sobre esse templo (Mt 16.18), porque Jesus tem as chaves da morte em suas mãos (Ap 1.17-18). O templo de Salomão nem chega perto da glória do povo de Jesus, pois o primeiro apontava para a realidade que se cumpre no segundo.

82 RECRIADOS PELA GRAÇA

Em síntese, ser igreja é ser uma nova humanidade, moldada segundo o caráter de Jesus. É ser o espaço onde Deus habita para sempre. É ser uma amostra do mundo vindouro. A igreja é o povo por meio do qual o mundo pode ver um novo jeito de ser gente, experimentar a presença de Deus e antecipar como será a restauração plena. A igreja é o poema de Deus, onde o seu *shalom* se faz tangível. À luz de tudo isso, podemos destacar alguns pontos de aplicação prática.

Qualquer definição que possamos dar ao que somos como igreja precisa estar alinhada com a obra de reconciliação de Cristo. Quando nos perguntamos o que Deus deseja ver na igreja, a resposta que Efésios nos ajuda a dar não diz respeito a quantas pessoas se reúnem em nossos salões, quantos eventos promovemos ou quantos recursos temos arrecadado. Tudo isso é bom e necessário. Ainda mais vital, porém, é saber que nosso sucesso será medido com base no quanto temos amadurecido como nova humanidade e templo de Deus.

A cultura que a igreja é chamada a criar é uma cultura de paz, de *shalom*. A igreja é uma entidade que só pode existir porque Deus se achegou até nós em Jesus e nos anunciou paz — a nós que estávamos distantes de sua presença, mortos em nossos pecados, escravos das forças do mal. O que nos define agora, então, é o Espírito de reconciliação derramado sobre nós no evangelho. E, se Cristo derrubou até mesmo a separação que havia entre nós e Deus — assim como o muro entre judeus e gentios —, nada pode se colocar entre a comunhão que temos uns com os outros. É uma ofensa ao evangelho a ideia de que pode existir igreja de rico, de pobre, de surfista, de segunda geração, de jovem, de esquerdista, de direitista, de intelectual. A igreja é a igreja, e ponto. Se uma igreja é uma igreja "de alguma coisa", ela se distanciou de sua identidade como o povo da reconciliação, de *shalom*. "Porque Cristo é nossa paz. Ele uniu judeus e gentios em um só povo ao derrubar o muro de inimizade que nos separava" (2.14). Todos nós mantemos nossas marcas étnicas e culturais — ninguém pode deixar de ser brasileiro, por exemplo, assim como Paulo nunca deixa de se identificar como fariseu (At 23.6). Cristo jamais anula a rica diversidade da criação de Deus, e o evangelho nunca nos compele à uniformidade. Mas Cristo relativiza qualquer aspecto de nossa identidade a partir de sua vida, morte e ressurreição. O que nos une — a base de nossa relação — é Cristo, nada mais. Se algo diferente passa a ditar nossa comunhão, deixamos de ser igreja e nos tornamos um clube. A igreja é uma comunidade de *shalom*, e a única maneira de vivermos essa vocação é caminhando centrados em Cristo, não em nossas preferências culturais.

É assim que a igreja serve de amostra do mundo vindouro. Temos vivido um período histórico de profundas crises no Brasil e no mundo. O que espanta, no entanto, não são as crises em si, já que as crises sempre existirão em um mundo pós-Gênesis 3. O que espanta é o fato de que muitos evangélicos têm sido parte importante do problema, não da solução. O exemplo recente mais óbvio é o fenômeno absolutamente diabólico — e lanço mão dessa expressão de forma bem proposital — do "nacionalismo cristão" ou da "supremacia cristã". E o mais bizarro é que muitos cristãos têm seguido esse caminho infernal, motivados pelo desejo de conquistar hegemonia no mundo. Há "cristãos" que querem tornar o mundo "cristão" só para poder impor sua própria vontade na sociedade. Efésios, porém, nos ensina que já estamos assentados, juntamente com Cristo, acima de todos os poderes do mundo, sejam eles visíveis ou invisíveis. Quando buscamos poder e influência no mundo segundo nosso caminho, estamos em efeito contradizendo a vitória que Cristo conquistou na cruz e na ressurreição. E Efésios 2.11-22, em particular, nos ensina que o senhorio de Cristo é visto pelo mundo quando nós o imitamos, sendo uma comunidade de *shalom*.

Somos tão bombardeados pelos padrões de pensamento caídos do mundo que é urgente recordar essas coisas com frequência. E Paulo começa dizendo exatamente isso: "Não esqueçam" (2.11). A nossa história é que estávamos mortos em pecados e transgressões, mas Deus nos vivificou com Cristo para sermos nova humanidade. Ser igreja, portanto, é entender a necessidade de sermos lembrados disso. Como diz o ditado, um povo que perdeu sua memória, perdeu sua identidade. Que nós nunca percamos a nossa.

5

O mistério pelo qual vale a pena sofrer: O testemunho de Paulo

....

Quando penso em tudo isso, eu, Paulo, prisioneiro de Cristo Jesus para o bem de vocês, gentios... Tomando por certo, a propósito, que vocês sabem que Deus me deu essa responsabilidade especial de estender sua graça a vocês. Como lhes escrevi anteriormente em poucas palavras, o próprio Deus revelou esse segredo a mim. Ao lerem o que escrevi, entenderão minha compreensão desse segredo a respeito de Cristo, que não foi revelado às gerações anteriores, mas agora foi revelado, pelo Espírito, aos santos apóstolos e profetas.

E este é o segredo revelado: tanto os gentios como os judeus que creem nas boas-novas participam igualmente das riquezas herdadas pelos filhos de Deus. Ambos são membros do mesmo corpo e desfrutam a promessa em Cristo Jesus. Pela graça e pelo grande poder de Deus, recebi o privilégio de servir anunciando essas boas-novas.

Ainda que eu seja o menos digno de todo o povo santo, recebi, pela graça, o privilégio de falar aos gentios sobre os tesouros infindáveis que estão disponíveis a eles em Cristo e de explicar a todos esse segredo que Deus, o Criador de todas as coisas, manteve oculto desde o princípio.

O plano de Deus era mostrar a todos os governantes e autoridades nos domínios celestiais, por meio da igreja, as muitas formas da sabedoria divina. Esse era seu propósito eterno, que ele realizou por meio de Cristo Jesus, nosso Senhor.

Por meio da fé em Cristo, agora nós, com ousadia e confiança, temos acesso à presença de Deus. Portanto, peço-lhes

86 RECRIADOS PELA GRAÇA

que não desanimem por causa de minhas provações. É por vocês que sofro; a honra é de vocês.

EFÉSIOS 3.1-13

....

Um dos filmes que entraram recentemente em minha lista de "preciso assistir" é *Onoda: Dez mil noites na selva*. Fiquei de queixo caído quando, pouco tempo atrás, li uma matéria sobre a história real por trás desse longa. O filme conta a história de Hiroo Onoda, oficial da infantaria das Forças Imperiais Japonesas que foi enviado às Filipinas em 1944, nos anos finais da Segunda Guerra Mundial, para ajudar a proteger uma ilha ocupada pelas tropas do Eixo. E uma das poucas ordens que ele havia recebido de seus superiores foi que jamais se rendesse aos Aliados, independentemente do que pudesse ocorrer. Acontece que, em 1945, como todos sabem, a guerra acabou, e o Japão — assim como os demais integrantes do Eixo — assinou os termos de rendição. Teimoso que era, no entanto, Onoda se recusou a acreditar que seu país havia perdido a guerra. Ele e mais alguns poucos colegas de infantaria acharam que eram falsas as notícias que iam chegando aos poucos de que os Aliados haviam vencido. Na cabeça deles, tratava-se de uma estratégia propagandista dos inimigos, para fazer que os japoneses se entregassem por engano. Como resultado dessa negação, decidiram correr para a mata fechada daquela ilha e se esconder ali até segunda ordem. Nem mesmo quando o próprio governo japonês passou a lançar folhetos do ar, anunciando o fim da guerra, Onoda e seus amigos se entregaram. E, em sua recusa de aceitar que a guerra havia de fato acabado, Onoda permaneceu naquela selva por trinta anos — dez mil noites migrando de uma caverna a outra, vivendo segundo uma realidade que já havia ficado para trás.

O problema maior é que, durante aqueles trinta anos, os companheiros de Onoda foram pouco a pouco sendo capturados ou mortos pela polícia filipina. E eles mesmos, achando que ainda estavam defendendo um império que ironicamente àquela altura nem existia mais, acabaram deixando um rastro de destruição: naqueles trinta anos, trinta mortos no total, que poderiam ter sido poupados se tão somente Onoda e seus colegas tivessem aceitado a derrota. Enfim, Onoda só aceitou se entregar quando o governo japonês enviou para buscá-lo nas Filipinas o antigo superior direto de Onoda, o major Yoshimi Taniguchi, que também havia sobrevivido à guerra.

Muita gente tem usado essa história como fonte de inspiração — um exemplo de lealdade e perseverança —, e eu mesmo acredito que podemos extrair algumas conclusões positivas do ato de bravura de Hiroo Onoda. Mas há algo com que todos nós devemos concordar, independentemente das outras lições que possamos tirar dessa história: a recusa de Onoda de admitir que a guerra havia acabado fez dele um péssimo perdedor. E isso acabou custando muitas vidas.

Para nossa surpresa, Paulo tem uma opinião semelhante a respeito daqueles que pensam governar o mundo segundo seus próprios interesses idolátricos. E é disso que fala Efésios 3.1-13.

No capítulo anterior, chegamos àquilo que considero um dos pontos altos da primeira parte de Efésios. Tudo que Paulo vinha expondo desde o parágrafo inicial de sua carta, acerca da magnífica obra que Deus realizou no evangelho por

88 RECRIADOS PELA GRAÇA

sua livre iniciativa, culmina no fato de que a igreja é a nova humanidade recriada em torno de Jesus, chamada a refletir de forma visível a vida que o Criador sempre desejou para o mundo. Tudo que Deus realizou de uma vez por todas na vida, crucificação e ressurreição de Jesus desemboca na presença do Espírito e Deus habitando mais uma vez no cosmo por meio de seu povo, a igreja. Como resultado, o muro de inimizade que nos separava uns dos outros — que separava inclusive gentios de judeus — foi derrubado quando Cristo derrubou o muro que separava a humanidade de Deus.

No terceiro capítulo de Efésios, Paulo começa a fazer a transição da primeira parte de Efésios (dos indicativos do evangelho) para a segunda metade (dos imperativos do evangelho), que tem seu início no começo do quarto capítulo. E, nessa transição entre os capítulos 2 e 4, Paulo insere, em particular em Efésios 3.1-13, uma nota um pouco mais pessoal, autobiográfica, sobre a relevância disso tudo que ele vem dizendo desde a abertura da carta. E, aqui, cabe perguntar por que Paulo interrompe essa densa exposição do evangelho e da identidade da igreja para falar um pouco de sua própria vida. A resposta é simples: porque o evangelho não é uma filosofia que apenas enche nossa cabeça, nem uma mensagem motivacional que meramente mexe com nossas emoções. O evangelho é a verdade encarnada de Deus, a realidade última que se materializou na história, o poder de Deus que afeta todas as áreas da existência. Assim, é quase impossível para Paulo — e devia ser assim para qualquer outra pessoa — falar do evangelho sem, em algum momento, falar também do impacto que o evangelho tem sobre o todo de sua vida.

Há muitas coisas em Efésios 3.1-13 que fazem uma recapitulação de temas importantes que Paulo já abordou anteriormente na carta. A diferença é que Paulo descreve o evangelho agora em termos do "segredo de Deus revelado em Jesus", a respeito do qual Paulo havia sido vocacionado a proclamar. No texto grego, o termo "segredo" aqui — ou, dependendo da versão, "mistério" — se repete três vezes de forma direta e duas de forma indireta. Afinal, o que exatamente Paulo quer dizer com esse termo?

Ao contrário do que muitos evangélicos pensam hoje, o termo grego *mystērion* nada tem a ver com um conhecimento especial abstrato, que somente alguns poucos "ungidos" podem acessar por meio de experiências subjetivas. Hoje em dia, é muito comum encontrar quem se ocupe em desvendar supostos "mistérios" sobre a vida dos outros, como se possuíssem as chaves dos arquivos secretos do "além". E, no pior dos casos, há pessoas que constroem sistemas teológicos inteiros ou tomam decisões de vida ou morte sobre o futuro com base em leituras absolutamente bizarras do texto bíblico, sob o pretexto de que "Deus revelou um mistério" a respeito desta ou daquela passagem, chegando ao ponto de afirmar exatamente o oposto do que as Escrituras instruem. (Eu poderia citar inúmeros exemplos que já testemunhei, mas acredito que os leitores também tenham sua própria coleção de causos desse tipo.)

Na verdade, quando Paulo fala do "segredo que foi revelado em Cristo", ele se refere a algo muito objetivo: desde Gênesis, a revelação de Deus e de seus planos salvíficos sempre apontou para a esperança de restauração de todo o universo, mas ninguém compreendia exatamente como isso se realizaria na história. Esse mistério diz respeito ao fato de

90 RECRIADOS PELA GRAÇA

que o enredo bíblico nos fez aguardar o cumprimento dos planos redentivos de Deus, mas, dada a profundidade do pecado e dos inúmeros fracassos do povo de Deus, não se sabia exatamente como céus e terra seriam resgatados das forças do caos e da morte. Ao afirmar que esse segredo foi agora "revelado" em Jesus, Paulo assevera que esse segredo encontrou sua resolução clara, plena e final, no tempo e no espaço, em Jesus. O termo grego *apokalypsis*, traduzido por "revelação", longe de indicar um transe místico, conota o simples ato de retirar o véu que antes cobria um objeto. Conforme Paulo já "escreveu anteriormente em poucas palavras" (3.3), Deus "desvelou" publicamente seu plano de resgate no evento-Jesus — no evangelho, a humanidade finalmente pode enxergar e entender como Deus venceu a morte e concretizou seu reinado sobre toda a terra.

É crucial que entendamos, portanto, que ao dizer que "o próprio Deus revelou esse segredo a mim" (3.3), Paulo não está sugerindo que somente ele recebeu essa revelação, de forma individual, esotérica, subjetiva, como se o apóstolo fosse uma espécie de guru. É claro que, em Atos 9, vemos Paulo recebendo a revelação de Cristo, quando este interrompe a jornada daquele a Damasco. Mas o ponto é que até mesmo Paulo, "o menos digno de todo o povo santo" (3.8), pôde conhecer esse grande mistério, pois esse mistério foi esclarecido no meio da história humana, e revelado agora, "pelo Espírito, aos santos apóstolos e profetas" (3.5). Nesse sentido, é mais provável que a sintaxe do verso 3 conote "foi dado a mim conhecer o segredo, segundo a revelação de Cristo", já que, no verso 4, Paulo chama esse segredo de "segredo de Cristo [*mystērion tou Christou*]" — segredo esse

O MISTÉRIO PELO QUAL VALE A PENA SOFRER **91**

que, de acordo com o verso 5, foi revelado "pelo Espírito".[1] Em síntese, o segredo ou mistério é o plano de salvação da humanidade e do cosmo. A revelação é a vida, morte e ressurreição de Jesus. E Paulo, assim como todos nós, tem acesso a essa revelação pelo Espírito — é a presença de Deus que nos faz enxergar o evangelho.[2]

Ademais, Paulo define esse mistério também em termos da realidade de que os planos redentivos de Deus em Cristo necessariamente desembocam na nova humanidade recriada pela graça: "E este é o segredo revelado: tanto os gentios como os judeus que creem nas boas-novas participam igualmente das riquezas herdadas pelos filhos de Deus. Ambos são membros do mesmo corpo e desfrutam a promessa em Cristo Jesus" (3.6). Parte central do "segredo de Cristo" é que ele resulta e se faz visível na igreja: "O plano de Deus era mostrar a todos os governantes e autoridades nos domínios celestiais, por meio da igreja, as muitas formas da sabedoria

---

[1] Algumas traduções dão a entender que a "revelação" foi o *meio* pelo qual Paulo veio a conhecer o "segredo de Cristo". Nessa linha de interpretação, é como se Paulo tivesse conhecido o "segredo de Cristo" por intermédio de uma "revelação" recebida de forma individual. Mas a expressão grega no verso 3 é *kata apokalypsin* ("segundo a revelação") provavelmente em um sentido definido, não *dia apokalypseōs* ("por meio de uma revelação") em um sentido instrumental. Ou seja, o conteúdo do que "foi dado a conhecer a Paulo" é provavelmente a própria "revelação do segredo", que, no verso 4, é o "segredo de Cristo". Além disso, o uso do genitivo "de Cristo" parece ser epexegético aqui. Nesse caso, o "segredo de Cristo" significa o "segredo, que é Cristo" — o evento-Cristo é o próprio segredo. E tudo isso foi revelado, conforme o verso 5, "pelo Espírito". Trocando em miúdos, "foi dado a mim conhecer a revelação do segredo, que é Cristo [...] revelação esta que foi dada aos santos apóstolos e profetas, pelo Espírito".

[2] Em Atos 9, é quando Paulo recebe o Espírito que seus olhos são abertos para enxergar novamente.

divina. Esse era seu propósito eterno, que ele realizou por meio de Cristo Jesus, nosso Senhor" (3.10-11). Em outras palavras, a igreja é o resultado imediato e a comprovação concreta do que Deus realizou em Jesus para vencer a morte e salvar o mundo. Quando, na eternidade passada, Deus planejou o resgate do cosmo, ele imaginou a existência da igreja. É por meio da igreja — dessas pessoas que eram antes inimigas e forasteiras da presença de Deus, mas agora adoram juntas o único Senhor do universo —, os principados e as potestades nas regiões celestiais podem ver o quão insondáveis e incomparáveis são a sabedoria, o poder e a autoridade de Deus. A igreja é a declaração pública do Criador dos céus e da terra, para todas as forças do caos que entraram no mundo após o pecado, de que todas as coisas nos céus e na terra foram submetidas ao senhorio de Jesus. Esse é o resultado da revelação do mistério de Deus.

É por isso que, para Paulo, é impossível deixar de mencionar o quanto essas realidades afetam todas as esferas de sua vida e fazem dele um servo da *igreja*. Porque saber que o plano eterno de Deus de salvar o mundo resulta na *igreja* faz que Paulo entenda que não há nada mais importante na vida do que zelar pela saúde e pela integridade da *igreja*. Dessa maneira, para nossa grande surpresa, quando Paulo fala de como o evangelho afetou o todo de sua vida, ele não fala de suas muitas conquistas pessoais. Em Efésios 3.1, percebemos que a única coisa que Paulo considera importante dizer sobre ele mesmo é que o evangelho fez dele um "prisioneiro" por amor à igreja e por causa do segredo de Cristo: "Quando penso em tudo isso, eu, Paulo, prisioneiro de Cristo Jesus para o bem de vocês, gentios..." (É difícil conter a indignação diante do contraste entre os muitos

O MISTÉRIO PELO QUAL VALE A PENA SOFRER **93**

autoproclamados "apóstolos" de hoje e a experiência de Paulo, não é verdade?)

Isso é importante porque, se até aqui Paulo deixou claro que a igreja é o povo que foi reconciliado com Deus e uns com os outros por intermédio de Cristo, é necessário saber também que a reconciliação que experimentamos no evangelho não resulta necessariamente em paz com os poderosos deste mundo. Viver sob o senhorio absoluto de Cristo significa deixar claro que todos aqueles que se dizem "senhores" não passam de impostores, farsantes, vigaristas. E, para aqueles que se consideram detentores de algum tipo de autoridade, o evangelho representa a mais terrível ameaça. Porque o evangelho escancara não somente a realidade de que todos estão mortos perante Deus, mas principalmente o fato de que somente Jesus venceu a morte e, portanto, somente ele foi capaz de derrubar o muro de inimizade que havia entre a humanidade e Deus, e entre a humanidade e ela mesma. E aceitar o evangelho requer que a pessoa reconheça que perdeu, se arrependa e renuncie seus caminhos de autonomia — algo que quase ninguém, especialmente aqueles que pensam deter algum poder em suas mãos, está disposto a fazer. Isso explica por que o evangelho nunca deixará de ofender, e é por isso que, desde o início, a igreja sempre sofreu oposição dos poderosos do mundo. Como resultado, ao mesmo tempo que a igreja é o espaço onde a reconciliação de Deus é vista de forma clara, só o fato de a igreja existir já é um incômodo para os poderosos do mundo. Ao mesmo tempo que o evangelho causa maravilhamento naqueles que nos cercam, ele também desnuda os deuses falsos e confronta a idolatria presente no mundo. Ter paz com Deus e com aqueles que pertencem à nova humanidade reconstituída em torno de

94 RECRIADOS PELA GRAÇA

Jesus não significa necessariamente ter paz com os poderosos deste século. E o evangelho fez de Paulo um prisioneiro precisamente porque ele havia se tornado pregador de Cristo (veja também Cl 2.24-27).

Contudo, por mais anticlimático que possa parecer o fato de que um dos maiores pregadores do evangelho tenha passado boa parte de seu ministério encarcerado, o evangelho dava a Paulo uma perspectiva reconfigurada daquela situação: embora os sofrimentos de Paulo fossem um escândalo aos olhos humanos, suas correntes atestavam a própria veracidade do evangelho — do poder de Cristo de subverter as forças do caos. No encarceramento de Paulo, a oposição que os poderosos deste mundo sempre demonstraram contra Deus era escancarada de forma ainda mais vívida. Ao prender Paulo, os poderosos deste mundo davam provas de que não sabiam perder.

E é por essa razão que Paulo não se envergonha de se identificar como "prisioneiro" e chega a dizer que suas tribulações são a glória de seus leitores: "Portanto, peço-lhes que não desanimem por causa de minhas provações. É por vocês que sofro; a honra é de vocês" (3.13). Vale a pena sofrer pelo evangelho, porque no evangelho o mistério de Deus foi revelado — todas as nações agora podem ver a glória de Deus e experimentar a ressurreição dos mortos. E o simples fato de o apóstolo estar preso mostra que os poderosos deste mundo estão com os dias contados, dando "chilique" porque não sabem perder. Nesse sentido, é bastante inspirador que Paulo não se identifique como "prisioneiro de Roma", mas, sim, como "prisioneiro de Cristo Jesus". Já que Paulo pertencia inteiramente ao Cristo que venceu a morte, nem mesmo a máquina mortífera de Roma podia ter qualquer poder sobre ele.

À luz de tudo isso, podemos concluir mencionando que o evangelho nos chama a uma visão bastante realista quanto à opinião que o mundo terá sobre nós. Infelizmente, a opinião que o mundo tem cultivado sobre a igreja brasileira nos últimos anos não tem sido a melhor, e isso é quase inteiramente por culpa nossa mesmo — porque a igreja brasileira de modo geral não tem vivido à altura de nossa identidade descrita em Efésios. Mas, por mais que nos aproximemos da visão de Paulo em Efésios, devemos esperar navegar em contextos que nunca deixarão de ser minimamente hostis a nós. Porque o simples fato de estarmos aqui, adorando ao único Deus verdadeiro que nos resgatou da morte por meio de Jesus, já representa uma afronta aos poderosos desta era e às potestades que influenciam a mente caída desses poderosos. A nova humanidade recriada pela graça é a comprovação histórica de que as forças do caos perderam. E é claro que essas tensões podem ser experimentadas em diferentes níveis. Ao longo de nosso testemunho, muitos crerão no maravilhoso evangelho da graça de Deus. Entretanto, não raro a vitória de Deus provocará oposição por parte daqueles que pensam controlar o mundo. E, porque o senhorio de Jesus desmascara esses falsos senhores, devemos ter a consciência de que, em alguma medida, compartilharemos da experiência de Paulo.

Paulo, no entanto, nos dá um excelente exemplo de como navegar essa realidade. As tensões propostas pelo mundo jamais intimidam Paulo, e nada disso deve nos intimidar. Com efeito, a oposição que encontramos no mundo atesta o fato de que os poderosos deste mundo não têm mais

96 RECRIADOS PELA GRAÇA

prerrogativa última sobre nós — nós pertencemos ao Senhor do universo. O mundo ainda se encontra em uma condição de insurgência; os principados e as potestades estão em negação em relação à vitória de Cristo sobre as forças do caos. Assim, devemos enxergar como bom sinal qualquer dificuldade que possamos enfrentar por não termos abandonado nosso chamado de seguir somente a Cristo. Tais dificuldades mostram que a luz de Deus de fato tem brilhado em nosso meio. Entender o grande mistério de Deus revelado em Jesus — de que o desejo de Deus, desde antes da fundação do mundo, sempre foi ver a igreja existir — nos faz enxergar como motivo de honra participar dos sofrimentos de Cristo pelo fato de sermos igreja.

É por isso que, enquanto estivermos caminhando em nossa real vocação como povo de Deus, nunca nos sentiremos à vontade com a ideia de que o povo de Deus pode transitar confortavelmente em círculos de poder deste mundo. Nós devemos, sim, influenciar todas as esferas da sociedade com os valores do reino, já que "o plano de Deus era mostrar a todos os governantes e autoridades nos domínios celestiais, por meio da igreja, as muitas formas da sabedoria divina" (3.10). Mas isso só pode ser realizado com fidelidade ao evangelho, quando não abrimos mão de nossa identidade, quando jamais nos curvamos a outros supostos senhores que não são Jesus, quando permanecemos como o povo de *shalom*. E, se estamos muito confortáveis com os chefões deste mundo, é porque provavelmente nos submetemos às mesmas forças que operam sobre eles.

Que possamos, então, ter a mesma consciência de Paulo. Que entendamos que somos prisioneiros *de Cristo*. Ser igreja é entender que somos participantes desse mistério revelado em Jesus. E ser uma igreja de fato livre é ser uma igreja "prisioneira" de Cristo. Que sejamos o povo do Senhor ressurreto, que derrubou o muro de inimizade entre nós. E que a luz de Deus avance, ainda que enfrentemos alguns obstáculos no caminho. A oposição dos poderosos é sinal de que somos de fato a humanidade recriada pela graça.

6

Cheios da plenitude de Deus:
A vida de Cristo entre os crentes

....

Quando penso em tudo isso, caio de joelhos e oro ao Pai, o Criador de todas as coisas nos céus e na terra. Peço que, da riqueza de sua glória, ele os fortaleça com poder interior por meio de seu Espírito. Então Cristo habitará em seu coração à medida que vocês confiarem nele. Suas raízes se aprofundarão em amor e os manterão fortes. Também peço que, como convém a todo o povo santo, vocês possam compreender a largura, o comprimento, a altura e a profundidade do amor de Cristo. Que vocês experimentem esse amor, ainda que seja grande demais para ser inteiramente compreendido. Então vocês serão preenchidos com toda a plenitude de vida e poder que vêm de Deus.

Toda a glória seja a Deus que, por seu grandioso poder que atua em nós, é capaz de realizar infinitamente mais do que poderíamos pedir ou imaginar. A ele seja a glória na igreja e em Cristo Jesus por todas as gerações, para todo o sempre! Amém.

Efésios 3.14-21

....

Qualquer pessoa que já se aventurou a ler algum relato dos grandes avivamentos da história da igreja sabe que, entre as muitas manifestações de uma visita extraordinária do Espírito Santo — por exemplo, confissão de pecados, reconciliação, amor pelas Escrituras e transformação social —, a oração

100 RECRIADOS PELA GRAÇA

ocupa lugar de grande proeminência. O evangelista Lucas, por meio de quem temos boas informações históricas não somente de Paulo (em Atos dos Apóstolos), mas também de Jesus (no Evangelho de Lucas), faz questão de enfatizar que a oração sempre esteve presente nos momentos decisivos da missão de Jesus e da primeira comunidade de discípulos. É em oração que aprendemos a nos submeter à vontade perfeita de Deus, encontramos o espaço onde o Espírito Santo realiza sua reforma em nós e nos apoiamos no poder de que tanto carecemos para cumprir nossa vocação.

Quem tem acompanhado nossa caminhada por Efésios até aqui não se espantará de ver que Paulo conclui a primeira metade da epístola com mais uma oração (veja também 1.15-23). É como se Paulo gritasse para nós, mais uma vez, que o evangelho só pode ser explicado e apreendido em tom de oração e na forma de oração. Para Paulo, não pode haver teologia, evangelização, ensino, pregação ou qualquer atividade eclesiástica, se nossas ideias, nosso discurso e nossa compreensão do evangelho não estiverem regados de oração. A própria gramática que devemos usar para entender e articular a vida cristã é a gramática da oração. Assim, manteremos este capítulo breve, para dar a quem o lê a oportunidade de transformar o que temos refletido neste estudo em um tempo de oração orientado pelas verdades que Paulo sublinha em Efésios 3.14-21.

Se compararmos essa oração com aquela que Paulo faz em Efésios 1.15-23, notaremos que lá o foco principal recai sobre a visão que devemos adotar de toda a realidade a nossa volta: Paulo ora para que seus leitores tenham os olhos do coração iluminados, para que possam compreender e viver à luz das riquezas que possuem em Cristo Jesus. Efésios 3.14-21, por

CHEIOS DA PLENITUDE DE DEUS **101**

sua vez, destaca a formação da vida interior de seus leitores: Paulo ora para que seus leitores experimentem de forma contínua e profunda a vida da humanidade recriada em Cristo. Mais direto ao ponto, há três lições que Efésios 3.14-21 nos ensina acerca de como orar à luz do evangelho e da identidade que recebemos em Cristo pela graça.

Em primeiro lugar, percebamos a confiança de Paulo nessa oração: "Quando penso em tudo isso, caio de joelhos e oro ao Pai, o Criador de todas as coisas nos céus e na terra. Peço que, da riqueza de sua glória, ele os fortaleça com poder interior por meio de seu Espírito. [...] Toda a glória seja a Deus que, por seu grandioso poder que atua em nós, é capaz de realizar infinitamente mais do que poderíamos pedir ou imaginar" (3.14-16,20). Ora, onde está a confiança de Paulo ao orar? Não está na oração de Paulo, mas, sim, no Deus a quem ele ora. E de onde vem essa confiança no Deus a que Paulo ora? Tal confiança vem do evangelho, daquilo que Paulo expôs nos primeiros dois capítulos de Efésios: do caráter do Deus que, antes mesmo da criação do cosmo, planejou derramar sobre seu povo todas as bênçãos espirituais nos domínios celestiais em Cristo. O evangelho da graça eterna nos concede a possibilidade de orar com plena confiança ao Deus que tem todo o universo e todo o tempo na palma das mãos. O poder de nossa oração, portanto, reside no fato de que "o Criador de todas as coisas nos céus e na terra", que é "infinitamente rico em glória e poder" e "capaz de realizar infinitamente mais do que poderíamos pedir ou imaginar", é nosso "Pai". O Deus todo-poderoso a quem oramos é aquele que nos incluiu por sua graça em sua família e, por isso, mais do que ninguém deseja estender sua bondade sobre nós ao ouvir nossas orações.

102 RECRIADOS PELA GRAÇA

Agora, conforme já indicamos no segundo capítulo deste estudo, uma dificuldade com que deparamos frequentemente é que muitas de nossas orações não são respondidas da forma como esperamos. E isso porque muitas de nossas orações estão em profunda desarmonia com os interesses de Deus. Conheço muitos cristãos desiludidos com a vida de oração, porque pensam que a promessa que Jesus fez a seus discípulos — de que ele concederia tudo que pedíssemos ao Pai em seu nome (Jo 14.13) — significa que esse "tudo" inclui nossos desejos egolátricos (veja também Tg 4.3). Mas é óbvio que esse "tudo" está qualificado pelo "em nome de Jesus". A expressão "em nome de Jesus" não é um abracadabra — alguns fazem até careta ao pronunciar essa frase —, mas aquilo que Jesus pediria se estivesse em nosso lugar. E aqui, em Efésios 3.14-21, somos mais uma vez confrontados por essa verdade. Paulo nos ajuda a entender como os indicativos do evangelho e o mistério de Cristo devem moldar nossa vida de oração.

Quando pensamos em nossas igrejas locais, ou na igreja evangélica brasileira de forma mais ampla, quais são os motivos de oração mais importantes que vêm à sua mente? Mais recursos? Mais influência? Mais edifícios? Mais estrutura? Mais visibilidade? Com certeza, Paulo poderia ter orado por algumas dessas coisas. Sabemos por meio do livro de Atos, por exemplo, que em dado momento os cristãos em Éfeso precisaram de um salão onde pudessem se reunir para estudar as Escrituras (At 19.9). Entretanto — e este é o segundo ponto a ser mencionado —, em Efésios 3.14-21, o apóstolo se atém àquilo que é mais urgente e que nunca deixará de ser a prioridade suprema em nossa vida de oração: "Peço que, da riqueza de sua glória, ele os fortaleça com poder interior por meio de seu Espírito. Então Cristo habitará em seu coração à

CHEIOS DA PLENITUDE DE DEUS **103**

medida que vocês confiarem nele. Suas raízes se aprofundarão em amor e os manterão fortes" (3.16-17).

Esta sempre será nossa maior necessidade, e é para esta finalidade que Deus nos alcançou com seu mistério: que Cristo habite em nosso coração, pela confiança nele. A sintaxe do texto grego deixa claro que a razão por que Paulo ora pelo fortalecimento de nosso interior é que sejamos transformados à semelhança do Filho de Deus. O fortalecimento do íntimo de nosso ser é *para que* a habitação de Cristo em nosso coração continue a se manifestar como a obra-prima de Deus. À luz do evangelho, nada é mais importante que crescer na realidade de que Cristo habita em nosso coração. Assim, Paulo também ora para que seus leitores estejam "enraizados e alicerçados em amor" (3.17, NAA). Isso é crucial, pois Cristo só pode ser formado em nós, de modo que continuemos a amadurecer à sua imagem, conforme a nossa identidade se consolida no amor — no amor de Deus e no amor a nossos irmãos na fé. E o detalhe é que os termos "enraizados" e "alicerçados" estão no passivo. Só Deus pode realizar essa obra. Por isso, Paulo ora.

A terceira ênfase da oração de Paulo digna de menção é que, à semelhança de Efésios 1.15-23, o foco aqui é comunitário: "Também peço que, como convém a todo o povo santo, vocês possam compreender a largura, o comprimento, a altura e a profundidade do amor de Cristo. Que vocês experimentem esse amor, ainda que seja grande demais para ser inteiramente compreendido. Então vocês serão preenchidos com toda a plenitude de vida e poder que vêm de Deus" (3.18-19). O amor no qual o evangelho nos chama a viver enraizados é do tamanho de Deus e, portanto, excede em muito nossa capacidade de compreensão. Há aqui um

104 RECRIADOS PELA GRAÇA

belo paradoxo: Paulo ora para que conheçamos o amor de Cristo, amor esse, porém, que ultrapassa nossa capacidade de compreender. Mas é por essa mesma razão que o entendimento desse amor é possível somente no contexto da comunhão que temos "com todo o povo santo" (no grego, a compreensão acontece "juntamente com todos os santos [*syn pasin tois hagiois*]"). Conhecer o amor de Cristo não é algo individualista, referente a alguma experiência que tenho "eu e Deus". Todos nós provamos o amor de Deus de formas particulares, mas jamais de maneira isolada. É quando caminhamos unidos em Cristo que podemos perceber o amor de Cristo em todas as suas imensuráveis dimensões. Esse é o sentido da metáfora da tridimensionalidade — "a largura, o comprimento, a altura e a profundidade do amor de Cristo" (3.18) — usada por Paulo aqui. Portanto, a oração para que Cristo seja formado em cada um de nós (3.17) desemboca na experiência comunitária do amor de Deus. A conjunção grega *hina* na abertura de Efésios 3.18, aliás, conota propósito ou resultado: a formação de Cristo em nós, o fortalecimento de nossa confiança nele e a firmeza de nossa identidade no amor dele têm como resultado o conhecimento mais aprofundado de Cristo compartilhado com todos os santos, de modo que todos nós nos tornamos mais "preenchidos com toda a plenitude de vida e poder que vêm de Deus" (3.19). Não existe qualquer outro motivo de oração que seja mais urgente, mais importante ou mais grandioso que esse. É essa oração que Deus está pronto a atender.

De modo muito apropriado, Paulo, tendo iniciado sua exposição dos indicativos do evangelho convidando seus leitores a adorar a Deus em Efésios 1.3, conclui essa parte com mais uma explosão de louvor: "Toda a glória seja a Deus que, por seu grandioso poder que atua em nós, é capaz de realizar infinitamente mais do que poderíamos pedir ou imaginar. A ele seja a glória na igreja e em Cristo Jesus por todas as gerações, para todo o sempre! Amém" (3.20-21). Tudo vem de Deus; tudo volta para Deus.

PARTE II

O que a igreja faz?

7

Unidade (com Cristo, com a Verdade, com o Corpo): A vocação da igreja

....

Portanto, como prisioneiro no Senhor, suplico-lhes que vivam de modo digno do chamado que receberam. Sejam sempre humildes e amáveis, tolerando pacientemente uns aos outros em amor. Façam todo o possível para se manterem unidos no Espírito, ligados pelo vínculo da paz. Pois há um só corpo e um só Espírito, assim como vocês foram chamados para uma só esperança.

Há um só Senhor, uma só fé, um só batismo,
um só Deus e Pai de tudo,
o qual está sobre todos, em todos, e vive por meio
de todos.

A cada um de nós, porém, ele concedeu uma dádiva, por meio da generosidade de Cristo. Por isso as Escrituras dizem:

"Quando ele subiu às alturas,
levou muitos prisioneiros
e concedeu dádivas ao povo".

Notem que diz que "ele subiu". Por certo, isso significa que Cristo também desceu ao mundo inferior. E aquele que desceu é o mesmo que subiu acima de todos os céus, a fim de encher consigo mesmo todas as coisas.

Ele designou alguns para apóstolos, outros para profetas, outros para evangelistas, outros para pastores e mestres. Eles são responsáveis por preparar o povo santo para realizar sua obra e edificar o corpo de Cristo, até que todos alcancemos a unidade que a fé e o conhecimento do Filho de Deus produzem e amadureçamos, chegando à completa medida da estatura de Cristo.

Então não seremos mais imaturos como crianças, nem levados de um lado para outro, empurrados por qualquer vento de novos ensinamentos, e também não seremos influenciados quando nos tentarem enganar com mentiras astutas. Em vez disso, falaremos a verdade em amor, tornando-nos, em todos os aspectos, cada vez mais parecidos com Cristo, que é a cabeça. Ele faz que todo o corpo se encaixe perfeitamente. E cada parte, ao cumprir sua função específica, ajuda as demais a crescer, para que todo o corpo se desenvolva e seja saudável em amor.

EFÉSIOS 4.1-16

....

Façamos um exercício rápido de reflexão antes de mergulhar na sequência de Efésios.

De acordo com o que se observa por aí, qual é o padrão de igreja bem-sucedida que os evangélicos de modo geral têm seguido?

E para você, caro leitor? Em que consiste uma igreja de sucesso?

É importante que façamos essas perguntas, porque as respostas que dermos a elas é o que, no final das contas, determinará as práticas centrais que adotaremos em nossas comunidades locais. Se sucesso é igual a crescimento numérico, por exemplo, faremos de tudo para manter o povo

UNIDADE (COM CRISTO, COM A VERDADE, COM O CORPO) **111**

entretido, de modo que consigamos organizar ajuntamentos cada vez maiores. Se é visibilidade, tudo que acontece na igreja servirá de plataforma para a promoção de nossa "marca", e passaremos a sonhar com cultos frequentados por grandes celebridades (isso quando os pastores já não se exaltaram a essa posição por meio do *marketing* pessoal). Se uma igreja bem-sucedida é aquela que está socialmente engajada, estaremos ocupados com inúmeras atividades "fora das quatro paredes" sem necessariamente prestar atenção à maturidade dos discípulos que fazem parte de nossas congregações. E, na ponta desse processo, sempre estará um tipo de mensagem que se acomoda aos objetivos estabelecidos por essa ou aquela visão do que é ser uma igreja boa. Toda prática parte de absolutos que abraçamos, seja de forma instintiva ou consciente. Até mesmo quem tem fé que não há verdade absoluta precisa acabar adotando a máxima de que "tudo é relativo". Não há como escapar.

Por essa razão, se somos um povo que de fato entende toda a nossa existência a partir da revelação definitiva de Deus em Jesus, sempre precisaremos dar um passo para trás e avaliar se o nosso sistema de valores está alinhado com o conselho normativo das Escrituras, com os indicativos do evangelho. Uma vez que aquilo que de fato queremos é agradar a Deus e cumprir com fidelidade a vocação dada por ele a nós, não adianta nada ter, por exemplo, a admiração das multidões, se no final o Senhor disser que não nos conhece por seguirmos um critério de sucesso diferente do dele (Mt 7.21-23). Neste capítulo, teremos a oportunidade de recalibrar nossa perspectiva sobre o que representa uma vida coerente com os indicativos do evangelho, descritos por Paulo na primeira parte de Efésios.

112 RECRIADOS PELA GRAÇA

E, logo de cara, é essencial que entendamos que Efésios 4—6, muito longe de simplesmente extrair algumas lições de moral do que foi falado antes, na verdade descreve os resultados inegociáveis — os *imperativos* — das realidades articuladas em Efésios 1—3. Somente quem creu em Efésios 1—3 está capacitado a viver Efésios 4—6, e somente quem vive Efésios 4—6 de fato compreendeu Efésios 1—3. Em Cristo, Deus nos abençoou com todas as bênçãos espirituais nas regiões celestiais, nos predestinou para a adoção, fez convergir todas as coisas nos céus e na terra debaixo de seu governo e sua autoridade, nos selou com a garantia de seu Espírito, nos vivificou com Cristo quando estávamos mortos em nossas transgressões, inaugurou uma nova humanidade e nos deu nova vida pelo poder da ressurreição de Jesus, derrubou o muro de inimizade que nos separava dele e fez de nós um povo de *shalom* — uma humanidade recriada pela graça. Consequentemente, há uma maneira correta de viver daqui para a frente, há um chamado que recebemos no evangelho, há uma vocação a ser cumprida.

De fato, a primeira coisa que Paulo faz questão de enfatizar no início dessa segunda parte de Efésios é que a vida cristã é uma *vocação*, um *chamado* a viver de uma maneira específica: "Portanto, como prisioneiro no Senhor, suplico-lhes que vivam de modo digno do chamado que receberam" (4.1). Em Cristo, a nova criação foi inaugurada e, por isso, temos a responsabilidade de viver de maneira coerente com essa realidade. E aqui é importante enfatizar que essa vocação não é um item opcional na vida cristã, como se houvesse cristãos sem chamado. Se você é um cristão, você já tem um chamado — o chamado de viver à luz dos indicativos do evangelho, praticando os imperativos do evangelho. Se você acha que

UNIDADE (COM CRISTO, COM A VERDADE, COM O CORPO) **113**

ser cristão é ter a consciência aliviada para "ir para o céu", falar uns termos religiosos diferentes ou simplesmente levantar as mãos na hora do louvor, você não entendeu muita coisa do evangelho. Em Cristo, todos nós recebemos a incumbência de ser uma amostra da nova criação inaugurada por Jesus. Quando o mundo ouve falar do evangelho, o mundo deve ver na igreja os resultados do que Deus realizou em Jesus.

Mas, afinal de contas, em que consiste essa vocação, e como ela deve ser colocada em prática? Se prestarmos atenção à primeira parte de Efésios 4.1-16, perceberemos que há uma palavra-chave que Paulo menciona repetidas vezes aqui: "unidade". Apenas nos versos 3-6, os termos cognatos "unidade" e "um" se repetem oito vezes. Paulo está gritando em nossos ouvidos: "unidade, unidade, unidade — a vocação cristã diz respeito a isso!". E que unidade é essa em termos mais precisos? Ora, essa unidade é a unidade em torno dos indicativos do evangelho — de tudo aquilo a respeito do qual Paulo falou em Efésios 1—3. Essa unidade é a unidade que reflete o fato de que todas as coisas nos céus e na terra foram reconciliadas com Deus, tendo sido colocadas debaixo do senhorio de Cristo; é a unidade com o único Senhor do cosmo. Essa unidade é a reversão da fragmentação causada pelo pecado de Adão e Eva em Gênesis 3 e perpetuada por todos nós depois deles. Essa unidade é fruto do reconhecimento de que, embora estivéssemos mortos em pecados e transgressões, Deus nos vivificou em Cristo inteiramente por sua iniciativa, dando a nós o Espírito Santo por meio do batismo em seu nome; é a unidade com único redentor da humanidade.

É crucial que tenhamos clareza quanto ao que significa essa unidade, porque há muita confusão entre alguns crentes acerca do assunto. Paulo não está falando de concordância

114 RECRIADOS PELA GRAÇA

em questões secundárias (como, por exemplo, política) ou de um sentimentalismo que ignora questões importantes (como, por exemplo, a autoridade das Escrituras). Não estou entre aqueles pastores e teólogos que consideram a política um assunto desnecessário. Muito pelo contrário, penso que a mensagem do reino de Deus é essencialmente política, e a igreja deve sinalizar o senhorio de Cristo em todos os espaços públicos da sociedade. Porém, segundo Efésios (e, de fato, segundo todo o Novo Testamento), o posicionamento político da igreja jamais foi o fator aglutinador de nossa identidade. Somente Cristo tem essa prerrogativa. E tampouco estou entre aqueles que gostam de mandar a pessoa para o inferno só porque ela discorda de mim ou tem uma leitura teológica diferente da minha. Ainda que eu subscreva a uma confissão de fé específica, penso que nenhuma tradição consegue esgotar a riqueza do evangelho. Porém, segundo Efésios (e, mais uma vez, segundo todo o Novo Testamento), é inegável que há um centro teológico, sem o qual a igreja não consegue existir. E esse centro são os indicativos do evangelho.

Ou seja, por unidade Paulo não se refere àquele senso de pertencimento que pode ser produzido pelo esforço humano — pelo carisma de um pregador, pela visão megalomaníaca de um líder, por interesses em comum, por identificação ideológica ou por uma hospitalidade absoluta em que reais diferenças são desconsideradas.[1] Paulo fala da unidade que só pode existir em torno do que Jesus realizou — da unidade

---

[1] Veja a crítica de Hans Boersma ao conceito de "hospitalidade pura" defendido por Jacques Derrida e seus sucessores pós-modernos: "Open Communion Invites the Devil to the Table", *First Things*, 26 de junho de 2023, <https://www.firstthings.com/web-exclusives/2023/06/open-communion-invites-the-devil-to-the-table>, acesso em 4 de junho de 2023.

UNIDADE (COM CRISTO, COM A VERDADE, COM O CORPO) **115**

que só pode existir em decorrência do evangelho. É por isso que o esforço a que o apóstolo nos exorta é o de "preservar [*tērein*]" a unidade (4.3), não "produzir" — na NVT, "se manterem unidos". A igreja não produz unidade. Somente o evangelho de Cristo produz unidade. A igreja tão somente *preserva* essa unidade. A unidade da igreja, portanto, depende inteiramente de nossa unidade com o Senhor único da igreja e com os indicativos do evangelho: "Pois há um só corpo e um só Espírito, assim como vocês foram chamados para uma só esperança. Há um só Senhor, uma só fé, um só batismo, um só Deus e Pai de tudo, o qual está sobre todos, em todos, e vive por meio de todos" (4.4-6). Já que há um só Senhor, uma só fé, um só batismo e um só Deus e Pai de todos, nossa vocação como povo diz respeito, antes de tudo, a estarmos alinhados a essa realidade. E só é possível expressar essa realidade quando mantemos os olhos fixos nesse único Senhor, nessa única fé, nesse único batismo, nesse único Deus e Pai de todos. O termo "heresia", diga-se de passagem, vem do grego *hairesis*, que significa precisamente "divisão" ou "facção".[2] O arqui-inimigo da unidade da igreja é toda crença, atitude

---

[2] É Cristo que possibilita a unidade, não o meu ou o seu sistema teológico. Mas não há Cristo verdadeiro sem a mediação da mensagem apostólica. "Que seja amaldiçoado qualquer um, incluindo nós, ou mesmo um anjo do céu, que anunciar boas-novas diferentes das que nós lhes anunciamos" (Gl 1.8). "Tenham cuidado para não perder aquilo que nos esforçamos tanto para conseguir. Sejam diligentes a fim de receber a recompensa completa. Quem se desvia deste ensino não tem ligação alguma com Deus, mas quem permanece no ensino de Cristo tem ligação com o Pai e também com o Filho. Se alguém for a suas reuniões e não ensinar a verdade de Cristo, não o convidem a entrar em sua casa, nem lhe deem nenhum tipo de apoio. Quem apoia esse tipo de pessoa torna-se cúmplice de suas obras malignas" (2Jo 1.8-11).

116 RECRIADOS PELA GRAÇA

e padrão de pensamento que contradiga os indicativos do evangelho. Para Paulo, não há unidade sem um esforço por crescer no entendimento da obra de Cristo. Não há unidade de verdade sem a verdade que produz essa unidade. As críticas recentes de Hans Boersma às tentativas de aplicação do conceito pós-moderno de "hospitalidade pura" à mesa da Eucaristia, nas quais até mesmo não cristãos são convidados a tomar a ceia do Senhor, se aplicam também ao ponto em questão: "A hospitalidade pura aplicada à Eucaristia implica um universalismo da pior espécie: é a insistência radical de que a igreja não tem nenhuma identidade positiva".[3]

E, precisamente porque essa unidade é resultado do que *Jesus* realizou, ela tem tudo a ver com a *qualidade de nossas relações* à luz dos indicativos do evangelho: "Sejam sempre humildes e amáveis, tolerando pacientemente uns aos outros em amor" (4.2). Quantos de nós pudemos responder às perguntas do começo deste capítulo, dizendo que uma igreja bem-sucedida é uma comunidade que pratica a humildade e a mansidão? E no entanto, já que a igreja é a humanidade recriada pela graça e o povo do *shalom* de Deus (2.11-18), a vocação cristã não começa em nenhum outro lugar, senão na humildade. O evangelho diz que Deus fez tudo que fez em Cristo, enquanto todos nós estávamos mortos em pecados e transgressões (2.4). E, quando percebemos nós mesmos e as pessoas que nos cercam a partir da graça imerecida que Deus derramou sobre nós em Jesus, não há espaço para a vanglória (2.9). O evangelho me lembra de que nós nunca fomos e nunca seremos o assunto; Jesus e sua graça abundante são o assunto. Por isso, intimamente atreladas à definição da

---

[3] Boersma, "Open Communion Invites the Devil to the Table".

UNIDADE (COM CRISTO, COM A VERDADE, COM O CORPO) **117**

unidade da igreja em termos da prática da humildade, estão também a paciência e o serviço uns aos outros. Porque a humildade — essa percepção de que nada pode fazer Deus me amar mais ou menos, porque ele já me acolheu pelo mérito de Jesus — me faz olhar para o outro como alvo dessa mesma graça. A comunidade da fé não é mais um empecilho a que eu alcance meus objetivos pessoais, mas é o espaço onde eu estendo aos outros a graça que recebi de Deus em Cristo.

É com essa perspectiva que devemos entender a ênfase central do parágrafo seguinte, em que Paulo fala dos chamados "dons". Infelizmente, o entendimento dos evangélicos acerca dos "dons" tornou-se algo tão distante das instruções dos autores bíblicos que precisamos antes desconstruir aquilo em que se acredita hoje em dia para depois explicar em que consiste esse termo.

Para muitos, a palavra "dom" é sinônimo de "capacidade especial". Quando alguém afirma ter um "dom", o que normalmente está sendo dito é que a pessoa é capaz de realizar algo extraordinário. E, para essas mesmas pessoas, existe um *ranking* desses "dons" na mente de Deus — como se profetizar, por exemplo, fosse superior a contribuir com algum recurso. Não à toa alguns acabam definindo toda sua identidade a partir dos "dons" que acreditam ter, valendo-se disso como pretexto para sutilmente cultivar uma postura elitista de vanglória. "Eu tenho esse 'dom'; você não tem". Nada mais contraditório aos indicativos do evangelho!

Os chamados "dons" em Efésios 4.1-16, porém, sequer representam habilidades específicas supostamente especiais que cada um de nós podemos ter, mas são a própria graça de Deus que faz de *todos* os membros da igreja participantes na preservação da *unidade* do Espírito. Em 1Coríntios 12—14

118 RECRIADOS PELA GRAÇA

e Romanos 12, Paulo fala sobre "dons" no contexto em que instrui os membros daquelas igrejas a exercerem suas habilidades específicas com o foco na edificação do Corpo de Cristo pelo amor. Em Efésios, todavia, a ênfase do apóstolo é levemente distinta.

No contexto em que acabou de exortar seus leitores a fazerem "todo o possível para se manterem unidos no Espírito, ligados pelo vínculo da paz" (4.3), Paulo afirma que cada um de nós recebeu expressões particulares da mesma graça de Deus: "A cada um de nós, porém, ele concedeu uma dádiva, por meio da generosidade de Cristo" (4.7). Posto de modo simples, da medida insondável da dádiva de Cristo, cada um de nós recebeu a mesma graça de Deus, ainda que essa graça se manifeste de diversas formas. É um erro interpretar o verso 7 como se cada membro tivesse uma medida peculiar da dádiva de Cristo, semelhante a um bolo dividido em fatias de tamanhos diversos. Longe disso, Paulo afirma que todos nós recebemos a mesma graça a partir da medida imensurável da dádiva de Cristo. A analogia proposta por Jerônimo, pai da igreja do quarto século, é muito mais adequada: a dádiva de Cristo é como um oceano em cuja imensidão todos nós podemos mergulhar.[4] A ênfase não está nas diferenças que você e eu possamos ter em nossos supostos "superpoderes", mas no fato de que *todos nós* recebemos da *mesma graça* — da mesma medida que é a própria dádiva de Cristo.

Assim, todos nós somos participantes na vocação de preservar a unidade. O termo grego traduzido na NVT por "dádiva" em Efésios 4.7, aliás, é *dōrea*, sinônimo de *dōron*, que ocorre em Efésios 2.8 para falar do "dom" da salvação

---

[4] Citado em Cohick, *The Letter to the Ephesians*, p. 440.

UNIDADE (COM CRISTO, COM A VERDADE, COM O CORPO) **119**

que todo aquele que crê em Jesus recebe — não por obras, para que ninguém se vanglorie. Cabe notar também que em Romanos 12 e 1Coríntios 12—14, em que Paulo discorre sobre a função de cada membro no serviço à igreja, o termo grego comumente traduzido por "dom" é *charisma*, que vem de *charis*, "graça". Isto é, o próprio termo *charisma* carrega a ideia de que nossa participação na edificação da igreja é expressão da *graça* imerecida de Deus. Não por coincidência, o argumento de Paulo em Romanos 12 ocorre no contexto em que ele lembra seus leitores de "não se considerarem melhores do que realmente são" (Rm 12.3); e, entre 1Coríntios 12 e 14, está o famoso capítulo do amor: de nada adianta ter capacidades supostamente especiais se não houver amor, a disposição em viver para edificar o outro, não para promover a si mesmo (1Co 13). É urgente, portanto, que resgatemos o verdadeiro sentido da palavra "dom": muito mais que uma capacidade que alguém possa ter — e que possa ser usada para se colocar acima dos outros —, "dom" é uma expressão da dádiva de Cristo, da graça imerecida que recebemos no evangelho, para a edificação da igreja.

Este é o grande problema com os chamados "testes de dons". Se os "dons" são expressões da graça de Deus, eles são também ilimitados, e não há gabarito com o qual possamos comparar os próprios testes. Se toda a nossa vida pertence ao Senhor, se nossas habilidades são expressões da graça de Deus, e se a finalidade única dessa realidade é a edificação da igreja, os "dons" são tão incontáveis como as areias do mar, as estrelas do céu e os descendentes de Abraão. As listas presentes em Romanos 12 e 1Coríntios 12—14 apresentam exemplos pontuais e seletivos, relevantes para aquelas igrejas específicas. É importante e desejável que organizemos

120 RECRIADOS PELA GRAÇA

nossa vida a partir de uma percepção saudável de quem somos e do que sabemos fazer bem, mas é fantasioso achar que o segredo de nossa vida está em algum "teste de dom".[5]

Em seguida, nos versos 8-10, Paulo explica o que pôde ter feito que todos nós recebêssemos dessa mesma graça. Ele começa citando Salmos 68.19: "Por isso as Escrituras dizem:

[5] Nesse sentido, é instrutivo que Paulo encoraje os crentes em Corinto a "desejarem intensamente os dons mais úteis" (1Co 12.31) no contexto em que o apóstolo diz que a única realidade que dá sentido ao uso dos "dons" é o amor (1Co 13). Os melhores dons não são aqueles considerados "melhores" por sua visibilidade ou pelo nível de admiração que podem suscitar nas pessoas. Os melhores dons são os mais úteis — os que melhor expressam a graça de Deus e edificam a comunidade da fé na situação específica pela qual a comunidade da fé esteja passando. É por isso que a ênfase de Paulo nas chamadas "listas de dons" em Romanos 12 e 1Coríntios 12—14 não está nos "dons" propriamente ditos, mas na *maneira* como eles são exercidos. Ou seja, as capacidades que recebemos de Deus não são definidores de nossa identidade, muito menos meios de competição, mas instrumentos que recebemos de graça da parte de Deus para a edificação da igreja. Portanto, cabe a nós sermos *fiéis* a esses *charismas* — a essas manifestações da graça de Deus — colocando-os em prática em amor. Como costuma dizer meu ex-professor e colega Estevan Kirschner, "os dons são para o serviço, não para ser visto".

Outra observação é que a diferença que muitas pessoas fazem entre "dom" e "talento" é, no melhor dos mundos, um produto artificial. Há quem diga que "talento" é uma capacidade "natural", ao passo que "dom" é algo recebido de Deus de forma "sobrenatural". Mas a Bíblia não faz esse tipo de diferenciação. Não há absolutamente nada que possamos possuir que não tenha vindo antes de Deus! Assim, aquilo que Paulo chama de *charisma* pode, sim, apontar para alguma habilidade que tenhamos recebido de Deus após a conversão, mas certamente está em continuidade com as características que temos como criaturas únicas de Deus, feitas à sua imagem e semelhança. A única distinção que talvez possamos fazer é que, quando nos submetemos ao senhorio de Jesus, nossos chamados "talentos" recebem a capacitação do Espírito Santo, de modo a serem usados para manifestar a graça de Deus na edificação da igreja.

UNIDADE (COM CRISTO, COM A VERDADE, COM O CORPO) **121**

'Quando ele subiu às alturas, levou muitos prisioneiros e concedeu dádivas ao povo'". Se atentarmos para o salmo 68 em seu próprio contexto, ficará nítido que o texto fala da vitória de Deus sobre seus inimigos, que representam as forças do caos presentes no mundo. E, no verso 19, o salmista celebra essa vitória usando a imagem de Deus subindo às alturas para ser entronizado perante seus adversários e receber como presente os espólios de sua vitória. Quando Paulo cita esse verso, porém, ele muda o verbo: em vez de dizer que o Senhor "recebeu" os espólios de guerra, o apóstolo diz que o Senhor "concedeu dádivas ao povo". Paulo segue uma abordagem interpretativa para parafrasear Salmos 68.19 com o seguinte sentido: quando Deus é entronizado, ele *recebe* os espólios de guerra precisamente para *redistribuir* essas riquezas a seu povo.[6] E, em Efésios 4.9-10, o apóstolo assevera que, na ressurreição de Jesus, o que aconteceu foi o cumprimento definitivo daquilo para o que Salmos 68.19 apontava. Ao vencer a morte, Jesus derrotou as forças do caos e submeteu todas as coisas nos céus e na terra ao seu domínio. Como resultado, Jesus tomou para si e redistribui os espólios — os "dons", os "presentes", as "dádivas" (*domata*) — para o seu povo, a igreja.

As dádivas concedidas por Cristo, no entanto, não são capacidades individuais, muito menos poderes supostamente especiais. Essas dádivas são a diversidade de *pessoas* que contribuem para a edificação da igreja: "Ele designou alguns para apóstolos, outros para profetas, outros para evangelistas, outros para pastores e mestres" (4.11). Os presentes que o Cristo ressurreto despejou sobre a igreja ao derrotar as forças do caos em sua ressurreição são as pessoas que constituem a própria igreja!

---

[6] Veja Lincoln, *Ephesians*, p. 241-2.

122 RECRIADOS PELA GRAÇA

A dificuldade é que, em muitos contextos evangélicos, ensina-se que Efésios 4.11 fala de cinco "superpoderes", chamados "ministérios", que devem estar presentes em todas as igrejas locais hoje (como se precisássemos nomear um apóstolo, um profeta e um evangelista em cada uma de nossas comunidades locais) e que se aplicam a todos os crentes (como se você e eu tivéssemos de descobrir em qual desses "superpoderes" nos encaixamos). Não me oponho a fazer teologia em diálogo com os filmes da Marvel, mas é necessário respeitar o texto bíblico! E o texto grego, assim como o contexto mais amplo de Efésios, não sustenta esse tipo de leitura.

Para começar, não é sequer certo que sejam cinco tipos diferentes de personagens que Paulo menciona no verso 11. É muito mais provável que sejam quatro, já que a sintaxe grega sugere algo como "pastores-mestres", pessoas que atuam em uma área composta por duas funções (como um meia-atacante, com a licença da analogia futebolística).[7] Em segundo lugar, Efésios veio a ser lida como uma carta circular, o que indica que Paulo não aplica essa realidade a todas as igrejas locais individualmente, mas à igreja universal, de todos os tempos e lugares. Nesse sentido, assim como é temerário chamar a lista em Efésios 4.11 de "*cinco* ministérios", é igualmente equivocado concluir que se trata de "cinco *ministérios*" que toda e qualquer igreja deve ter hoje. Paulo está simplesmente mencionando pessoas que, no contexto do surgimento do povo escatológico de Deus, atuavam na promoção da unidade da igreja. Terceiro, tanto os "apóstolos" como os "profetas" já foram mencionados anteriormente em Efésios (2.20 e 3.6), em clara referência aos apóstolos enviados

---

[7] Veja Cohick, *The Lettter to the Ephesians*, p. 455.

UNIDADE (COM CRISTO, COM A VERDADE, COM O CORPO) **123**

por Jesus e aos profetas que proclamavam a palavra de Deus em continuidade com os mensageiros de Deus no Antigo Testamento. Isso sugere que, em Efésios 4.11, Paulo tem em mente a história da redenção que culmina em Jesus, não a crença narcisista de que todos os crentes precisam brincar de "caça ao tesouro" existencial para descobrir de qual desses "cinco ministérios" — que, na verdade, seriam "quatro grupos de pessoas" — precisam "tomar posse". O que Paulo está destacando é que Deus, ao ressuscitar Jesus dos mortos em cumprimento ao que os profetas do Antigo Testamento haviam anunciado no passado, e conforme os apóstolos agora proclamavam, despejou ricamente sobre seu povo todas as condições para que este possa cumprir a vocação de preservar a unidade. E essas condições permanecem na pregação contínua dos evangelistas e dos pastores-mestres, perpetuando-se hoje pela participação ativa de todos os crentes.

Com isso, Paulo não descarta a possibilidade de que as diversas comunidades cristãs ao redor do globo tenham, por exemplo, "apóstolos" no sentido de "missionários enviados". O Novo Testamento utiliza o termo grego *apostolos* em referência essencialmente a quatro grupos: os Doze que caminharam com Jesus e foram enviados por ele (Mc 3.14), Matias, que foi incluído no lugar de Judas Iscariotes (At 1.15-26),[8] os

---

[8] Matias é chamado de apóstolo de forma indireta: "para tomar o lugar neste ministério e apostolado [*apostolēs*]" (At 1.25, tradução minha). Talvez seja importante ressaltar que a escolha de Matias não foi um erro, como defendem alguns pregadores mal-informados. Tal ideia tem sido advogada em alguns púlpitos com base em três premissas. Primeiro, Matias foi escolhido por sortes, o que supostamente não pode ter sido de Deus. Segundo, Matias permaneceu anônimo após sua escolha, o que supostamente indica um erro. E, terceiro, Paulo é quem deveria ter ocupado o décimo segundo assento entre os Doze, já que ele foi o grande apóstolo aos

124 RECRIADOS PELA GRAÇA

apóstolos que após a ascensão de Cristo foram acrescentados ao grupo autorizado pelos Doze (por exemplo, Barnabé em At 14.1-4, Tiago irmão de Jesus em 1Co 15.7, o casal Andrônico e Júnias em Rm 16.7 e o próprio Paulo), e ainda alguns outros que foram comissionados a realizar tarefas específicas em contextos distantes (como os irmãos anônimos em 2Co 8.23 e Epafrodito em Fp 2.25).[9] A dificuldade é que, em vez de simplesmente traduzir *apostolos* pelo seu sentido mais comum de "enviado" em português — como *poimēn* é sempre traduzido por "pastor" —, as versões preferem transliterar o termo, dando a indesejada impressão de que "apóstolo" é algum tipo de título eclesiástico. Isso significa que os únicos hoje que de alguma forma estariam em continuidade com a maneira como "apóstolo" é empregado no Novo Testamento são aquelas pessoas "enviadas" a pregar o evangelho e prestar socorro aos crentes em outros lugares. Só há "apóstolo" no século 21 no sentido de "servo enviado". Paulo jamais aprovaria a maneira

gentios. Mas outros três pontos bastam para refutar esses erros. Primeiro, Paulo jamais se identifica como um dos Doze, mas como um apóstolo "nascido fora do tempo" (1Co 15.8). Segundo, o método de escolha de Matias estava em continuidade com o que havia sido prescrito em Deuteronômio 33.8, por exemplo. É claro que os discípulos de Jesus posteriormente abandonaram o Urim e Tumim, mas o que mais importava na escolha de Matias era o critério que colocou ele e José Barsabás como candidatos: "devemos escolher um dentre os homens que estiveram conosco durante todo o tempo em que o Senhor Jesus andou entre nós, desde que ele foi batizado por João até o dia em que foi tirado de nosso meio e elevado ao céu" (At 1.21-22). O ponto era preservar a tradição apostólica por completo. Uma vez testemunha de todo o ministério de Jesus, era uma questão de discernir quem poderia ocupar o ofício deixado por Judas. E, terceiro, se o anonimato de Matias é evidência de erro, devemos concluir que Jesus também errou na escolha do Doze, já que nunca mais no Novo Testamento ouvimos falar, por exemplo, de Bartolomeu.

[9] Veja Cohick, *The Letter to the Ephesians*, p. 454.

UNIDADE (COM CRISTO, COM A VERDADE, COM O CORPO) **125**

como muitos se utilizam da palavra hoje, como se "apóstolo" fosse um *status* que conota "cacique que se considera a quarta pessoa da Trindade". Nesse sentido, os crentes devem rejeitar qualquer pessoa que tome sobre si o título "apóstolo", pois os verdadeiros apóstolos comissionados por Jesus para lançar os fundamentos definitivos da igreja permanecem vivos nas páginas do Novo Testamento e não precisam — ou melhor, não devem — ser substituídos por farsantes modernos. Dada a distorção do termo pela cultura evangélica, "missionário" é muito mais apropriado que "apóstolo", embora o primeiro nunca ocorra no Novo Testamento. De todo modo, é bastante nítido que Efésios 4.11, quando compreendido dentro do contexto mais amplo da carta, fala dos *apostoloi* que foram comissionados pelo próprio Jesus e incluídos no círculo de responsáveis pela proclamação autoritativa do evangelho na primeira geração da igreja.[10]

[10] Princípio semelhante se aplica aos "profetas". Atos menciona alguns profetas, como Ágabo (At 11.28; 21.10), aqueles presentes na igreja em Antioquia (At 13.1) e as filhas de Filipe (At 21.9), e em 1Coríntios 12—14 vemos a presença de figuras assim denominadas naquela comunidade. Em absolutamente nenhuma dessas instâncias, porém, tais pessoas se tornam personalidades que assumem a prerrogativa de trazer uma revelação "nova" acerca do evangelho, muito menos de se colocar como porta-vozes em pé de igualdade com as Escrituras. Há, sim, evidências de que o Espírito dava direções ao povo de Deus por meio dos profetas, de modo a orientar a igreja sobre a melhor maneira de discernir determinadas situações (como no caso de Ágabo e dos profetas da igreja de Antioquia). Mas esses "profetas" sequer mexem na mensagem apostólica. Aliás, quando Paulo instrui a igreja em Corinto a "julgar" as palavras de seus profetas (1Co 14.26-33), é no sentido de discernir se estas estavam em sintonia com o conteúdo normativo das Escrituras. O imperativo em 1Tessalonicenses 5.21 nos ajuda a entender o ponto: "ponham à prova tudo que é dito e fiquem com o que é bom".

126 RECRIADOS PELA GRAÇA

Mais importante ainda, tendo em vista os versos 1-6, fica claro que o ponto de Paulo no verso 11 é afirmar que todos nós — cada um dos membros da igreja — temos participação importante na vocação dada por Deus de preservar a unidade. Não é à toa que tudo o que Paulo diz até aqui desemboca na tarefa que *todos* os santos são chamados a desempenhar no Senhor. Note a importância de Efésios 4.12, que segue diretamente da menção aos apóstolos, profetas, evangelistas e pastores-mestres: "Eles são responsáveis por preparar o povo santo para realizar sua obra e edificar o corpo de Cristo" (4.12). O ponto alto da exposição de Paulo não é o verso 11, mas o verso 12: o objetivo das dádivas que Deus despeja sobre a igreja não é levar os crentes a organizar eventos de autoconhecimento para se perguntarem se são alguma versão *gospel* do Homem-Aranha ou da Mulher--Maravilha, como se essas coisas fossem fins em si mesmos. As dádivas que Deus despejou sobre a igreja são apenas meios inesgotáveis para um fim muito maior: equipar *todos* os santos. Não importa em primeiro lugar saber que "ministério" *eu* tenho. Na maioria dos casos, essa busca desenfreada por protagonismo esconde uma carência afetiva que usa "ministério" para autoafirmação. O "meu" ministério nunca é o assunto! O que importa em primeiro lugar é entender que toda minha vida é um instrumento de edificação *da igreja*.

Assim, a finalidade última de nossa vocação — de nossa responsabilidade de preservar a unidade em torno dos indicativos do evangelho — é que *todos* se pareçam com Cristo: "até que todos alcancemos a unidade que a fé e o conhecimento do Filho de Deus produzem e amadureçamos, chegando à completa medida da estatura de Cristo" (4.13). E note como Paulo destaca, mais uma vez, a importância da

UNIDADE (COM CRISTO, COM A VERDADE, COM O CORPO) **127**

verdade do evangelho como o único fator aglutinador da unidade da igreja: "Então não seremos mais imaturos como crianças, nem levados de um lado para outro, empurrados por qualquer vento de novos ensinamentos, e também não seremos influenciados quando nos tentarem enganar com mentiras astutas" (4.14). Somos chamados à unidade para que, por meio dela, amadureçamos juntos em nossa unidade com Cristo. Nosso chamado é para crescer na unidade da fé, para que todos os santos, a começar por nós mesmos, cheguemos à plena estatura de Cristo.

Paulo conclui essa parte de Efésios usando a metáfora de um corpo em formação para descrever a vocação da igreja: "Em vez disso, falaremos a verdade em amor, tornando-nos, em todos os aspectos, cada vez mais parecidos com Cristo, que é a cabeça. Ele faz que todo o corpo se encaixe perfeitamente. E cada parte, ao cumprir sua função específica, ajuda as demais a crescer, para que todo o corpo se desenvolva e seja saudável em amor" (4.15-16). A imagem aqui é de um bebê recém-nascido, cujo corpo, embora completo, está em constante formação. A igreja é como esse bebê em formação, cujo destino é amadurecer e se parecer com o cabeça, que é o próprio Jesus. Mas o ponto é que o Corpo jamais pode crescer de forma desmembrada, quando os membros estão desconectados uns dos outros e do cabeça (veja também 1Co 12.12-31). Todos nós formamos o Corpo, e o Corpo só pode continuar a ser formado e crescer quando, juntos, aprendemos a construir toda a nossa vida e todas as nossas relações a partir do cabeça. E, caso os leitores ainda não tenham entendido, Paulo repete que a prática que possibilita nosso crescimento nessa direção é a conformidade com os indicativos do evangelho: "falaremos a verdade em amor, tornando-nos,

128 RECRIADOS PELA GRAÇA

em todos os aspectos, cada vez mais parecidos com Cristo". Se no verso 14 Paulo diz que o objetivo de caminharmos em unidade é que sejamos cada vez mais protegidos do engano, a única maneira de isso de fato acontecer é vivendo juntos, em amor e alinhados à verdade.

Diante de todas essas coisas, cabe fazer mais uma vez as perguntas do início deste capítulo: Qual é o padrão de igreja bem-sucedida que temos seguido? O que é uma igreja boa em nossa opinião? Para Paulo, uma igreja bem-sucedida é aquela que entendeu e internalizou os indicativos do evangelho — uma igreja que vive com base nas realidades descritas em Efésios 1—3. Uma igreja bem-sucedida nos lembra de que somos pecadores redimidos por Jesus e de que somos chamados a estender a graça de Deus uns aos outros. Como resultado, uma igreja bem-sucedida cultiva uma cultura de humildade — não daquela falsa humildade, que leva a pessoa a se diminuir mas que no final só alimenta um senso de autojustiça. C. S. Lewis acerta na mosca quando diz que a humildade genuína se caracteriza pelo autoesquecimento: "A verdadeira prova de que estamos na presença de Deus é que nos esquecemos completamente de nós mesmos".[11] Uma igreja humilde é aquela cujos membros se esquecem de si mesmos a partir da graça de Deus, e pensam menos sobre eles mesmos e mais no bem do outro. Em vez de se parecer com um clube, com um salão de eventos, com um partido político, com uma clínica de autoajuda profissional ou com uma empresa que vende um produto religioso — uma mensagem motivacional ou uma música que nos arrepia —,

---

[11] C. S. Lewis, *Cristianismo puro e simples* (São Paulo: Martins Fontes, 2005), p. 166.

UNIDADE (COM CRISTO, COM A VERDADE, COM O CORPO) **129**

uma igreja boa suporta uns aos outros em amor. E, finalmente, uma igreja que vive à luz dos indicativos do evangelho entende que sua razão de ser e seu objetivo supremo não é eleger presidente, ou lotar estádio, ou conseguir o maior número de visualizações no YouTube, ou combater alguma ideologia. Uma igreja bem-sucedida compreende que foi salva para se parecer com Jesus. Uma igreja boa se apega à verdade do evangelho, mesmo quando todas as outras igrejas se prostituem com teologias espúrias da moda. Uma igreja boa é um povo cujos membros já entenderam que Deus não existe para fazê-los mais ricos, mais famosos, mais influentes — esse povo sabe que, em Cristo, Deus já fez deles as pessoas mais ricas do mundo. Uma igreja bem-sucedida é um Corpo, cujos bens, recursos e capacidades estão à disposição para a edificação da igreja.

"Portanto, como prisioneiro no Senhor, suplico-lhes que vivam de modo digno do chamado que receberam. Sejam sempre humildes e amáveis, tolerando pacientemente uns aos outros em amor. Façam todo o possível para se manterem unidos no Espírito, ligados pelo vínculo da paz. [...] Então não seremos mais imaturos como crianças, nem levados de um lado para outro, empurrados por qualquer vento de novos ensinamentos, e também não seremos influenciados quando nos tentarem enganar com mentiras astutas. Em vez disso, falaremos a verdade em amor, tornando-nos, em todos os aspectos, cada vez mais parecidos com Cristo, que é a cabeça." Que Deus ajude nossas igrejas a serem amostras dessa realidade.

8

Imitadores de Deus: Nossos relacionamentos à luz do evangelho

....

Assim, eu lhes digo com a autoridade do Senhor: não vivam mais como os gentios, levados por pensamentos vazios e inúteis. A mente deles está mergulhada na escuridão. Andam sem rumo, alienados da vida que Deus dá, pois são ignorantes e endureceram o coração para ele. Tornaram-se insensíveis, vivem em função dos prazeres sensuais e praticam avidamente toda espécie de impureza.

Mas não foi isso que vocês aprenderam de Cristo. Uma vez que ouviram falar de Jesus e foram ensinados sobre a verdade que vem dele, livrem-se de sua antiga natureza e de seu velho modo de viver, corrompido pelos desejos impuros e pelo engano. Deixem que o Espírito renove seus pensamentos e atitudes e revistam-se de sua nova natureza, criada para ser verdadeiramente justa e santa como Deus.

Portanto, abandonem a mentira e digam a verdade a seu próximo, pois somos todos parte do mesmo corpo. E "não pequem ao permitir que a ira os controle". Acalmem a ira antes que o sol se ponha, pois ela cria oportunidades para o diabo.

Quem é ladrão, pare de roubar. Em vez disso, use as mãos para trabalhar com empenho e honestidade e, assim, ajudar generosamente os necessitados. Evitem o linguajar sujo e insultante. Que todas as suas palavras sejam boas e úteis, a fim de dar ânimo àqueles que as ouvirem.

132　RECRIADOS PELA GRAÇA

Não entristeçam o Espírito Santo de Deus, o selo que ele colocou sobre vocês para o dia em que nos resgatará como sua propriedade.

Livrem-se de toda amargura, raiva, ira, das palavras ásperas e da calúnia, e de todo tipo de maldade. Em vez disso, sejam bondosos e tenham compaixão uns dos outros, perdoando-se como Deus os perdoou em Cristo.

Portanto, como filhos amados de Deus, imitem-no em tudo que fizerem. Vivam em amor, seguindo o exemplo de Cristo, que nos amou e se entregou por nós como oferta e sacrifício de aroma agradável a Deus.

EFÉSIOS 4.17—5.2

....

Sempre que um estranho tenta iniciar uma conversa comigo, vejo-me na desconfortável posição de ser a pessoa que estraga o papo. Cedo ou tarde na interação, meus interlocutores acabam me perguntando o que faço da vida e, quando ouvem que entre outras coisas sou pastor evangélico, a conversa costuma parar por aí. Certo dia, todavia, soube de um episódio que ocorreu com uma pessoa conhecida. Mesmo após ter respondido que era pastor a um motorista de Uber, foi perguntado com interesse sobre como era a rotina de uma pessoa que vivia cercada de cristãos. Na percepção daquele prestador de serviços, a "profissão" pastoral poderia assumir diversas formas — televangelista da prosperidade, diretor de ONG, guru espiritual, animador de festa religiosa ou CEO institucional —, mas ele sempre teve a curiosidade de entender o que de fato significava ser cristão, o que um cristão fazia. "É verdade que o cristão nunca se diverte, só busca a Deus para enriquecer, se acha mais justo do que os outros e odeia quem não pertence à mesma religião?", indagou.

IMITADORES DE DEUS 133

Nos poucos minutos que faltavam para a corrida encerrar, o tal pastor foi constrangido a explicar, da forma mais sucinta possível, o que significava confessar a mesma fé que a dele. "O cristão não é nada disso", respondeu ao motorista. "O cristão é um seguidor de Jesus Cristo — alguém que foi alcançado pela graça de Jesus Cristo e que vive como nova criatura em consequência do fato de que Jesus Cristo ressuscitou." E complementou: "Embora seja verdade que a vida cristã é incompatível com certas práticas aprovadas pela sociedade em geral, nosso jeito de ser se justifica primeiramente pela realidade de que Jesus é o Senhor do universo e, por isso, existe uma maneira correta de viver". Seguiu-se daí alguns minutos de silêncio reflexivo, quando o veículo chegou a seu destino. O pastor abriu a porta do carro e, quando foi se despedir do motorista, ouviu: "Gostei do que você falou. Vou procurar saber qual é essa maneira correta de viver".

Na passagem anterior, Paulo deu início à exposição das implicações que o evangelho deve acarretar na vida de quem pertence a Cristo. E, conforme vimos, ser cristão significa "ter sido vocacionado a uma vocação" — sim, a redundância é proposital, pois é exatamente isso que Paulo afirma no texto grego em Efésios 4.1. O povo de Deus é chamado a preservar a unidade que Cristo conquistou em sua vida, morte e ressurreição: unidade da humanidade com Deus por meio do evangelho, unidade de todas as coisas nos céus e na terra debaixo do cabeça de todas as coisas, que é o próprio Cristo, e unidade entre aqueles que pertencem a Cristo. Ou seja, o evangelho nos chama à unidade com o Criador, com sua verdade e com seu povo. E a finalidade dessa unidade é que todos os santos sejam equipados de modo a alcançar a maturidade, a plena estatura de Cristo.

134 RECRIADOS PELA GRAÇA

A partir de Efésios 4.17, Paulo continua a expor os imperativos do evangelho, detalhando algumas implicações mais práticas de nossa unidade com Cristo. E a primeira coisa que importa destacar nesse sentido é o contraste que existe entre a nossa identidade em Cristo e a nossa identidade antes de termos sido alcançados pelo evangelho: "Assim, eu lhes digo com a autoridade do Senhor: não vivam mais como os gentios, levados por pensamentos vazios e inúteis. A mente deles está mergulhada na escuridão. Andam sem rumo, alienados da vida que Deus dá, pois são ignorantes e endureceram o coração para ele. Tornaram-se insensíveis, vivem em função dos prazeres sensuais e praticam avidamente toda espécie de impureza" (4.17-19). Digna de destaque aqui é a importância que Paulo atribui ao *entendimento* que devemos ter de nós mesmos à luz de Cristo. Uma das grandes sequelas que o pecado acarretou em nós foi esvaziar nossos pensamentos, obscurecer nossa mente e cauterizar nosso coração. As palavras "mente" e "coração", no pensamento antigo, não apenas encapsulam as faculdades cognitivas e os sentimentos de uma pessoa, mas representam também o domínio das afeições, o lugar onde habitam nossos amores, nascem nossos apetites e surgem nossas escolhas (Pv 4.23; Mc 7.15). Distantes do Criador, perdemos a referência. E, tendo sido criados como seres litúrgicos — para amar e adorar a Deus —, mas agora distantes do Éden, passamos a colocar coisas de igual modo criadas no lugar de Deus.[1] O resultado é que nos tornamos obtusos ao que é belo, incapazes de corresponder à vida do Criador. "Mente vazia, oficina do diabo" é a descrição mais acurada

---

[1] Veja a crítica muito bem-vinda à ênfase demasiada que algumas tradições dão ao aspecto cognitivo da fé cristã em James K. A. Smith, *Você é aquilo que ama: O poder espiritual do hábito* (São Paulo: Vida Nova, 2017).

IMITADORES DE DEUS **135**

de nosso estado antes da iluminação que recebemos de Deus por meio do evangelho. Paulo nos convoca a não mais vivermos como pagãos idólatras, pois sem os indicativos do evangelho o entendimento deles está obscurecido. As práticas sensuais e impuras dos pagãos refletem esse abismo ocasionado pelo pecado, entre sua mente e seu coração e o caráter de Deus revelado nas verdades do evangelho. Seu estilo de vida está refém das trevas, pois ainda não compreenderam que Deus já nos abençoou com todas as bênçãos nas regiões celestiais em Cristo, reconciliando consigo mesmo todas as coisas nos céus e na terra, garantindo a herança da glória eterna e inaugurando um novo jeito de ser gente.

Por outro lado, aqueles que estão em Cristo "ouviram falar de Jesus e foram ensinados sobre a verdade que vem dele" (4.21) — a eles foram anunciados os indicativos do evangelho. Assim, a nova identidade que recebemos no evangelho, inteiramente pela graça de Deus, engendra toda uma nova vida. O evangelho preenche nossos pensamentos, ilumina nossa mente e transforma nosso coração. Graças à ressurreição de Jesus, agora podemos entender qual é a maneira correta de viver. A mudança de conduta esperada de um cristão é antes causada por uma mudança de seu interior — de sua mentalidade, de suas afeições.

Isso significa que essencial para que caminhemos em nossa vocação de preservar a unidade é assumir diariamente a nova identidade que recebemos em Cristo. Essa é a força da imagem da vestimenta que Paulo usa nos versos 22-24: "livrem-se de sua antiga natureza e de seu velho modo de viver, corrompido pelos desejos impuros e pelo engano. Deixem que o Espírito renove seus pensamentos e atitudes e revistam-se de sua nova natureza, criada para ser

136 RECRIADOS PELA GRAÇA

verdadeiramente justa e santa como Deus". No mundo greco-
-romano, a vestimenta era uma extensão da identidade pessoal, o que tornava a troca diária de roupa uma necessidade
mais que higiênica e servia de analogia para a necessidade de
renovação ética da pessoa.[2] E, assim como nos vestimos diariamente antes de sair de casa, carecemos de uma troca constante de pensamentos e atitudes a partir dos indicativos do
evangelho, da nova criação. Revestir-nos da nova natureza
é renovar a mente nas verdades de Deus. A santificação não
é resultado de nosso esforço (com atos de ascetismo), mas a
consequência de nos enchermos do evangelho. Estávamos
mortos em pecados e transgressões e, por isso, somos totalmente incapazes de nos blindar por nós mesmos dos "desejos
impuros" e do "engano". É somente quando nos encharcamos
diariamente do evangelho que nos despimos de nossa "velha
natureza". Paulo diz algo semelhante em Romanos 8.13: "Se,
contudo, pelo poder do Espírito, fizerem morrer as obras do
corpo, viverão". É pelo Espírito que fazemos morrer nossas
obras carnais — "pelo Espírito" é sinônimo de "pela ação de
Deus que nos molda segundo as verdades do evangelho". De
fato, mais adiante em Efésios, Paulo insistirá que nenhum
dos imperativos do evangelho pode ser praticado sem a ação
direta do Espírito na vida do crente (5.18).

O cristão, portanto, não busca a justiça, a verdade e as
boas obras como uma tentativa de se justificar perante Deus
ou de se colocar como juiz moral dos outros. Se você faz isso,
precisa reler Efésios 1—3 com atenção. O cristão busca a justiça, a verdade e o amor porque Deus mudou sua identidade:
o cristão é uma humanidade recriada pela graça. Fomos

---

[2] Keener, *The IVP Bible Background Commentary: New Testament*, p. 551.

salvos para a adoção, para que pudéssemos ser transformados à imagem de Jesus e caminhar nas boas obras preparadas de antemão por Deus. O alvo da vida cristã, como Paulo já destacou na passagem anterior, é que todos alcancemos a plena estatura de Cristo. Assim, o objeto de nossa reflexão, de nossa busca, de nossa proclamação, de nosso aprendizado não são ideias bonitas ou sistemas abstratos de doutrinas, mas é, antes de tudo, uma pessoa: a pessoa de Cristo.

Há um detalhe no verso 20 que reforça essa realidade: no texto grego, o objeto direto do verbo "aprender" é "Cristo". Quase todas as versões em português traduzem a afirmação *emathete ton Christon* por "aprenderam *de* Cristo", como se seus leitores tivessem aprendido *algo a respeito de* Cristo. E, de fato, a fé cristã se apresenta também dessa maneira. Mas o que Paulo afirma aqui é que o próprio Cristo é o conteúdo do que aprendemos. O cristão aprende a ser como uma pessoa — o "cabeça" da igreja (4.15).

Assim, conforme vamos nos revestindo de Cristo e nos enchendo diariamente das verdades do evangelho, o que deve acontecer é que nossas *relações* devem ser marcadas pelo caráter dessa mesma pessoa de quem estamos aprendendo. Em outras palavras, nosso relacionamento com a comunidade da fé está no centro dos propósitos que Deus deseja realizar no mundo e da nossa vocação como povo eleito para viver em unidade. É por isso que todas as coisas que Paulo diz em Efésios 4.25—5.2 carregam implicações comunitárias. Pertencer à nova humanidade de Cristo requer que aprendamos a nos relacionar uns com os outros como Cristo. É impossível enfatizar esse ponto com demasiado vigor. Se o Corpo de Cristo só pode crescer junto, quando os membros estão conectados uns aos outros (como

138 RECRIADOS PELA GRAÇA

vimos no capítulo anterior), a saúde de nossas relações não é mero detalhe no caminho do discipulado. A comunhão não é um "adendo" ao culto, como se o culto fosse o lugar onde temos a catarse, e a comunhão fosse a pizza opcional do pacote. Nossas relações como igreja são precisamente o espaço onde a vida cristã acontece juntamente com o culto. Em Atos 2.42-47, vemos que a perseverança na caminhada comunitária foi um dos resultados mais visíveis da descida do Espírito Santo naquele famoso dia de Pentecostes. E, em Romanos 12.1, Paulo inicia sua exposição sobre o impacto que o evangelho deve ter na igreja de Roma, lembrando seus leitores de que o culto verdadeiro a Deus em Cristo jamais está dissociado da forma como vivemos e construímos nossas relações: "Portanto, irmãos, suplico-lhes que entreguem seu corpo a Deus, por causa de tudo que ele fez por vocês. Que seja um sacrifício vivo e santo, do tipo que Deus considera agradável. Essa é a verdadeira forma de adorá-lo".

De fato, é muito instrutivo que, entre as tantas implicações que Paulo poderia ter mencionado como consequência de nossa nova identidade, a primeira que ele escolhe seja parar de mentir: "Portanto, abandonem a mentira e digam a verdade a seu próximo, pois somos todos parte do mesmo corpo" (4.25). Por que essa ênfase no abandono da mentira e na prática da verdade? Ora, porque a base de qualquer relacionamento saudável é a confiança. O que mais pode subverter a confiança que temos uns nos outros de forma tão sutil como a mentira? A mentira é de longe o que mais destrói nossas relações. Quantos males já tivemos de atravessar na vida por causa da falta de sinceridade de pessoas em quem havíamos depositado nossa segurança? Crer no evangelho, porém, é crer na verdade — na realidade última que define e dá sentido ao universo —, e viver segundo nossa nova identidade, preservando a unidade do Espírito, é recusar-se a mentir a nossos irmãos e irmãs. Como podemos mentir se pertencemos a Cristo e uns aos outros? Como o mundo pode enxergar a nova criação de Deus em nosso meio, se a mentira continua presente em nossos lábios? Aliás, ao nos instruir a falar a verdade, Paulo alude a Zacarias 8.16 — "Isto é o que vocês devem fazer: Digam a verdade uns aos outros. Em seus tribunais, pronunciem sentenças justas, que conduzam à paz" —, que descreve a vida comunitária que sinalizaria o tempo da restauração.

E nesse ponto cabe esclarecer que falar a verdade não é meramente ser "sincerão" e falar o que "dá na telha, sem filtro ou papas na língua". Lembro-me de uma pessoa ter se aproximado de mim em uma igreja alguns anos atrás para dizer que eu estava "feio grisalho" e que era melhor eu começar a tingir os cabelos. E, para piorar, completou: "mas falo essa verdade em amor". (O lado positivo de passar por situações como essa é ter ótimas ilustrações para utilizar em meus escritos e sermões!) Contudo, o "falar a verdade" a que Paulo nos exorta é uma prática cujo conteúdo é informado pelo próprio evangelho, que é a verdade suprema de Deus. Parafraseando Dietrich Bonhoeffer, dizer a verdade uns aos outros é aprender a construir todos os nossos relacionamentos pela mediação de Cristo — é pregar o evangelho uns aos outros em tudo que falamos uns aos outros.[3] Isso abrange palavras de encorajamento e de admoestação, de elogio e de

[3] Veja Dietrich Bonhoeffer, *Vida em comunhão* (São Paulo: Mundo Cristão, 2022).

140 RECRIADOS PELA GRAÇA

correção, mas sempre na esperança de que todos amadureçam à semelhança de Cristo.

Portanto, não surpreende que, na sequência, Paulo destaque a importância de não se deixar dominar pela ira: "E 'não pequem ao permitir que a ira os controle'. Acalmem a ira antes que o sol se ponha, pois ela cria oportunidades para o diabo" (4.26-27). Com certeza, Paulo não se põe a desencorajar os cristãos a se indignarem contra as injustiças do mundo. Jesus e Paulo fizeram isso o tempo todo. Pelo contrário, Paulo se refere aqui àquele tipo de ira que acaba tomando controle de nossa maneira de enxergar as coisas, que nos leva a perder de vista os indicativos do evangelho e que, portanto, acaba gerando ressentimento. Quando nos deixamos dominar pela ira, o diabo encontra espaço em nosso meio para causar alienação e atrapalhar nossa vocação pela unidade. Revestir-se de Cristo, da nova humanidade, significa irar-se, sim, mas também significa lembrar-se de que "a ira humana não produz a justiça divina" (Tg 1.20). No entanto, Paulo também nos encoraja a não deixar para depois aquilo que pode ser tratado hoje. Se percebermos que podemos resolver uma desavença hoje e buscar reconciliação hoje, que seja hoje, então, que isso aconteça. Fomos chamados a preservar a unidade do Espírito pelo vínculo da paz.

Em seguida, o apóstolo encoraja seus leitores a se perceberem como agentes de paz e de cuidado à comunidade da fé: "Quem é ladrão, pare de roubar. Em vez disso, use as mãos para trabalhar com empenho e honestidade e, assim, ajudar generosamente os necessitados" (4.28). Veja, Paulo não diz que aquele que rouba deve parar de roubar, e ponto final. Ele diz que agora, em Cristo, aquele que enxergava seu próximo como alguém de quem teria a oportunidade de tirar alguma

IMITADORES DE DEUS **141**

vantagem não somente deve mudar sua perspectiva quanto a isso, como também deve perceber-se como instrumento de justiça e misericórdia. É nisso que o evangelho deve desembocar: na transformação de nosso jeito de ser a partir da nova identidade que recebemos de Cristo.

No parágrafo seguinte, encontramos outras maneiras pelas quais a unidade do Espírito deve ser preservada por meio da qualidade de nossas relações: "Evitem o linguajar sujo e insultante. Que todas as suas palavras sejam boas e úteis, a fim de dar ânimo àqueles que as ouvirem. Não entristeçam o Espírito Santo de Deus, o selo que ele colocou sobre vocês para o dia em que nos resgatará como sua propriedade. Livrem-se de toda amargura, raiva, ira, das palavras ásperas e da calúnia, e de todo tipo de maldade. Em vez disso, sejam bondosos e tenham compaixão uns dos outros, perdoando-se como Deus os perdoou em Cristo" (4.29-32). Longe de ser uma lista de regras moralistas do tipo "pode isto e não pode aquilo", tudo que o apóstolo menciona aqui diz respeito ao tipo de relacionamento que os indicativos do evangelho nos convocam a cultivar. Tudo diz respeito a como tratamos uns aos outros. E, no centro de tudo isso, está o entristecimento do Espírito Santo. Em Cristo, Deus fez da igreja o templo do Espírito Santo, derrubando o muro de inimizade que existia até mesmo entre judeus e gentios. O Espírito é entristecido, porém, por meio de atitudes egocêntricas que minimizam a dignidade de meus irmãos e irmãs e a obra da graça de Deus na vida deles. Esse é o problema que subjaz os comentários jocosos e condenatórios ("linguajar sujo e insultante"), assim como "amargura, raiva, ira, das palavras ásperas e da calúnia, e todo tipo de maldade". Agindo dessa forma, contradizemos tudo que lemos em Efésios 1—3 e a unidade

142   RECRIADOS PELA GRAÇA

conquistada por Cristo em sua vida, morte e ressurreição. O problema de fazer de nossas palavras instrumentos de nossa soberba é que contradizemos o valor que nossos irmãos e irmãs têm no sangue de Jesus. Nossas palavras devem ser "boas e úteis, a fim de dar ânimo àqueles que as ouvirem", porque a graça de Deus fez de nós, anteriormente mortos, parte da humanidade recriada.

Lembro-me do período em que o Senhor tinha acabado de me encontrar, no final de 2001. Nessa época, eu ainda trabalhava na área de publicidade e propaganda, e muitos de meus colegas, acostumados a me ver chegando ao trabalho intoxicado logo de manhã, ficaram sem saber o que fazer comigo ao constatar que, de repente, até o meu linguajar havia mudado. Cheguei a ser apelidado de "Padre Bernardo" por alguns mais próximos, já que nem de sexo eu falava mais. Certa vez, enquanto conversava com um desses colegas, ele ficou incomodado por eu não ter rido de um comentário depreciativo que acabara de ser feito sobre uma mulher que dividia o escritório conosco. Então desabafou: "Padre, você ficou chato demais depois que virou crente!". Pois bem, "chato" ou não, dar risada da objetificação de seres humanos criados à imagem e semelhança de Deus, e que o Criador desejava alcançar com sua graça, já não era uma opção para mim. Jesus ressuscitou, minha identidade passou a ser outra e, portanto, existia agora uma maneira correta de viver — e de me relacionar com as pessoas em meu entorno.

Paulo sintetiza essa seção da forma mais inspiradora possível, chamando-nos a entender que ser igreja é ser uma comunidade de imitadores de Deus: "Portanto, como filhos amados de Deus, imitem-no em tudo que fizerem. Vivam em amor, seguindo o exemplo de Cristo, que nos amou e se entregou por nós como oferta e sacrifício de aroma agradável a Deus" (5.1-2). Nenhuma visão de ministério, por mais megalomaníaca que seja, consegue — nem pode — ser mais impactante que essa. O que nós aprendemos no discipulado é *Cristo*. A vida cristã é uma longa caminhada em que amadurecemos na imitação de Deus. A graça que Deus nos estendeu em Cristo nós devemos retribuir estendendo-a a nossos irmãos e irmãs. É isso que espero que aquele motorista de Uber tenha compreendido. É isso que um cristão faz, essa é a maneira correta de viver: o discípulo de Jesus é membro da humanidade recriada pela graça, alguém que imita a Deus.

9
Separação das obras das trevas: Os novos hábitos da nova criação

Portanto, como filhos amados de Deus, imitem-no em tudo que fizerem. Vivam em amor, seguindo o exemplo de Cristo, que nos amou e se entregou por nós como oferta e sacrifício de aroma agradável a Deus. Que não haja entre vocês imoralidade sexual, impureza ou ganância. Esses pecados não têm lugar no meio do povo santo. As histórias obscenas, as conversas tolas e as piadas vulgares não são para vocês. Em vez disso, sejam agradecidos a Deus. Podem estar certos de que nenhum imoral, impuro ou ganancioso, que é idólatra, herdará o reino de Cristo e de Deus.

Não se deixem enganar por palavras vazias, pois a ira de Deus virá sobre os que lhe desobedecerem. Não participem do que essas pessoas fazem. Pois antigamente vocês estavam mergulhados na escuridão, mas agora têm a luz no Senhor. Vivam, portanto, como filhos da luz! Pois o fruto da luz produz apenas o que é bom, justo e verdadeiro.

Procurem descobrir o que agrada ao Senhor. Não participem dos feitos inúteis do mal e da escuridão; antes, mostrem sua reprovação expondo-os à luz. É vergonhoso até mesmo falar daquilo que os maus fazem em segredo. Suas más intenções, porém, ficarão evidentes quando a luz brilhar sobre elas, pois a luz torna visíveis todas as coisas. Por isso se diz:

"Desperte, você que dorme,
     levante-se dentre os mortos,
     e Cristo o iluminará".

146 RECRIADOS PELA GRAÇA

Portanto, sejam cuidadosos em seu modo de vida. Não vivam como insensatos, mas como sábios. Aproveitem ao máximo todas as oportunidades nestes dias maus. Não ajam de forma impensada, mas procurem entender a vontade do Senhor. Não se embriaguem com vinho, pois ele os levará ao descontrole. Em vez disso, sejam cheios do Espírito, cantando salmos, hinos e cânticos espirituais entre si e louvando o Senhor de coração com música. Por tudo deem graças a Deus, o Pai, em nome de nosso Senhor Jesus Cristo.

EFÉSIOS 5.1-20

....

A quem não acredita que Deus atende orações, minha esposa gostaria de informar que seis meses atrás, finalmente, consegui incluir exercícios físicos em minha rotina diária. Frequentar a academia era algo a respeito do qual não tinha tempo nem mesmo de pensar em razão da intensidade do trabalho no seminário e na igreja, mas isso tem se tornado um hábito — prepare-se para o que vou dizer — bastante prazeroso. E os resultados já são visíveis. Dias atrás, percebi que estava vestindo confortavelmente uma bermuda que até o final do ano passado sequer fechava. Sem mencionar que minha disposição psicológica também sofreu mudanças drásticas. Realmente somos seres integrais, de modo que a saúde de nosso corpo afeta diretamente nossas emoções, e vice-versa.[1]

Uma curiosidade nessa história é que eu sempre achava que o gasto calórico na prática de exercícios físicos aumentaria consideravelmente a minha fome. Contudo, foi exatamente o contrário que aconteceu. Desde que associei a

[1] Veja Karen Bomilcar, *Corpo como Palavra: Uma visão bíblica sobre saúde integral* (São Paulo: Mundo Cristão, 2021).

SEPARAÇÃO DAS OBRAS DAS TREVAS **147**

prática de esportes com uma alimentação mais saudável, meu apetite passou por uma "regeneração". Minha esposa, a mesma que perseverou em oração pela minha rotina, é estudante de nutrição e formada em gastronomia, o que tem possibilitado que eu me alimente não somente de coisas boas, mas também saudáveis. Há dias que não sinto vontade alguma de consumir guloseimas. E tenho aprendido uma lição importante nesse processo que toca diretamente o que Paulo comunica em Efésios 5.1-20. Desde que comecei a me exercitar e a cultivar uma alimentação mais equilibrada, notei (literalmente nas vísceras) algo que todos nós sabemos de ouvir falar: não são somente os vícios alimentares e o sedentarismo que influenciam nossos hábitos. O inverso também é verdadeiro: uma alimentação saudável e a prática constante de exercícios físicos são capazes de redirecionar todo o nosso apetite. As pequenas escolhas que fazemos no dia a dia — aquelas que determinam nossas liturgias diárias, nossa rotina — acabam moldando muito de nossos desejos e, no final das contas, de quem somos.[2]

Uma vez que Cristo venceu a morte, há uma maneira correta de viver. É impossível crer na ressurreição de Jesus e ao mesmo tempo achar que a vida pode ser tocada adiante como bem entendemos. É por isso que na passagem que segue a discussão de Paulo sobre a responsabilidade que temos de imitar a Deus (4.17—5.2), o apóstolo descreve a identidade da igreja por meio do contraste entre "luz e escuridão" (5.8-14). Ora, se viver sem Cristo é ter o entendimento obscurecido, conforme vimos no capítulo anterior, viver em

[2] Veja Tish H. Warren, *Liturgia do ordinário* (São Paulo: Pilgrim Books, 2019).

148   RECRIADOS PELA GRAÇA

Cristo é deixar de "participar dos feitos inúteis do mal e da escuridão", pois "é vergonhoso até mesmo falar daquilo que os maus fazem em segredo", e principalmente entender que somos "luz no Senhor", chamados a viver como "filhos da luz". Cristo nos reconcilia com Deus e com o povo eleito, de maneira que nada pode fragmentar nossa unidade. Nossa unidade em Cristo, porém, ocasiona uma divisão — uma separação — clara entre nossa nova maneira de viver e a velha ordem de existência. Uma das implicações de sermos "um só corpo em Cristo" é que agora temos a luz de Deus habitando em nosso meio, nada mais devendo às trevas ocasionadas em Gênesis 3. Consequentemente, imitar a Deus começa no impacto que a graça de Deus tem em nossas relações na igreja, conforme vimos em Efésios 4.17—5.2, e se estende até as nossas interações com os valores da sociedade à nossa volta. Imitar a Deus implica uma ruptura, desde a raiz, com atitudes e padrões de pensamento desalinhados com o evangelho.

E é especificamente sobre isso que fala Efésios 5.3-7. Imitar a Deus significa abandonar hábitos que nunca fizeram parte dos propósitos do Criador para o mundo e que agora não mais convém a nós como a humanidade recriada pela graça: "que não haja entre vocês imoralidade sexual, impureza ou ganância"; "as histórias obscenas, as conversas tolas e as piadas vulgares não são para vocês"; "não se deixem enganar por palavras vazias"; "não participem do que essas pessoas fazem". E o interessante é que os exemplos aqui incluem basicamente duas questões: sexo e dinheiro. Mas, embora não seja novidade que os cristãos consideram tais práticas condenáveis, há que se esclarecer que elas são muito mais que meros tabus.

SEPARAÇÃO DAS OBRAS DAS TREVAS **149**

Sexo e dinheiro não são realidades ruins em si mesmas.
Na perspectiva bíblica, o sexo e o dinheiro são dádivas divi-
nas para ser desfrutadas no contexto correto do compromisso
mútuo do matrimônio (no caso do sexo) e da mordomia das
riquezas (no caso do dinheiro). A questão é que a imoralidade
sexual, a impureza, a avareza e a ganância reduzem os seres
humanos a objetos de desejo, de uso. No evangelho, porém,
Deus nos resgatou da morte e do pecado, revelou o cerne de
seu caráter e nos mostrou a finalidade para a qual existimos.
E, ao fazer isso, Deus afirmou, entre outras coisas, a dignidade de todos os seres humanos — todos nós somos não
somente criados à sua imagem e semelhança, como também
alvos de sua graça imerecida, de sua bondade eterna.[3] Isso
explica por que imitar a Deus é qualificado pelo imperativo
de "viver em amor", que por sua vez é definido por aquilo
que Cristo realizou por nós: "Portanto, como filhos amados
de Deus, imitem-no em tudo que fizerem. Vivam em amor,
seguindo o exemplo de Cristo, que nos amou e se entregou
por nós como oferta e sacrifício de aroma agradável a Deus"
(5.1-2). Cada ser humano tem valor não somente como criatura de Deus, mas também como alvo do sacrifício precioso
do Filho de Deus. Para saber quanto vale uma vida humana,
basta olhar para a cruz de Cristo; a cruz é o preço que Deus
pagou pela humanidade. Assim, a imoralidade sexual, a
impureza, a avareza e a ganância são repugnantes porque

---

[3] Em uma palestra que ouvi em 2012 em Vancouver, fui persuadido por
John Barclay que a doutrina da *imago dei*, embora central e inegociável, é
insuficiente para sustentar os direitos humanos em um contexto pluralis-
ta, já que ela pode ser relativizada pelo longo debate sobre o que constitui
de fato a imagem de Deus em um ser humano. A graça imerecida de Deus
despejada em Cristo, porém, jamais pode ser relativizada: quem quer que
sejamos, estávamos mortos, mas Cristo morreu e ressuscitou por nós.

pervertem a boa criação de Deus, contradizem os indicativos do evangelho e representam uma afronta à santidade e à graça do Criador. Tais práticas representam a tentativa de usurpação do que não nos pertence e, assim, denunciam que nos colocamos no lugar do próprio Criador. Isso explica por que Paulo equipara a ganância à idolatria: "Podem estar certos de que nenhum imoral, impuro ou ganancioso, que é idólatra, herdará o reino de Cristo e de Deus" (5.5). E essa é a razão por que o apóstolo menciona as "conversas tolas" e "piadas vulgares". Essas também são expressões de um coração tomado por interesse próprio e vazio de amor ao próximo. Ao contrário, um coração transformado pelos indicativos do evangelho transborda de gratidão: "Em vez disso, sejam agradecidos a Deus" (5.4).

Todo pecado é reprovável aos olhos de Deus, porque todo pecado contradiz seu caráter, sendo portanto destrutivo para nós e para toda a criação que nos cerca. Não muito tempo atrás, fui questionado por um jovem agnóstico sobre a questão da pornografia. Ele dizia que, contanto que não fizesse "mal a ninguém", conteúdos pornográficos deveriam ser vistos como algo inofensivo. Tive de explicar que a pornografia é problemática porque ela não somente perverte a sacralidade do sexo (na visão cristã), como também reduz as pessoas envolvidas — inclusive as pessoas presentes na imaginação do rapaz — a meros objetos de consumo. Tive de desafiar o rapaz a me dizer se ele assistiria a um filme desses se a mãe, a irmã ou a filha dele estivesse em cena. O que ouvi em resposta foi um silêncio constrangido. Além disso, lembrei-o de que achar que é possível participar de toda uma indústria de objetificação sexual sem fazer "mal a ninguém" é como pensar que alguém pode mergulhar no oceano sem

SEPARAÇÃO DAS OBRAS DAS TREVAS **151**

se molhar. E não bastassem os muitos danos causados àqueles que se submetem diretamente a essa indústria, o estrago que conteúdos pornográficos deixam na imaginação e nos apetites de quem os consome é profundo e duradouro. Perdi a conta de quantos casais — frequentadores de igrejas, diga-se de passagem — tive de aconselhar nos últimos anos em razão das consequências que esses hábitos cultivados no passado ainda acarretavam em sua vida conjugal. Conclui afirmando que, quando Deus proíbe algo, não é porque ele é careta, mas porque nos ama e deseja nos proteger. (Adão e Eva que o digam![4])

À luz dessas instruções, as palavras de Paulo no verso 6 nunca foram tão atuais: "Não se deixem enganar por palavras vazias, pois a ira de Deus virá sobre os que lhe desobedecerem". Somos tão intensa e incessantemente bombardeados por ideias deturpadas sobre o significado da vida que muitos cristãos se deixam enganar, achando que tudo bem ser como todo mundo e fazer o que todo mundo faz. No domingo nos comovemos no culto, mas na segunda-feira estamos invejando este ou aquele influenciador do TikTok. Paulo chama isso de tolice, cuja consequência é a destruição.

Mas nem só do abandono de velhos hábitos vive a igreja. É igualmente necessário que abracemos novos hábitos. Cristo ressuscitou. E, porque ele ressuscitou, nós sabemos qual é a maneira correta de viver. Ele inaugurou um novo jeito de ser gente, que agrada a Deus e que nos faz experimentar liberdade e felicidade verdadeiras. Nós éramos trevas, mas agora

---

[4] A queda aconteceu precisamente em decorrência da suspeita que a serpente semeou no coração de Eva quanto às motivações santas e boas de Deus ao proibir o fruto do conhecimento do bem e do mal. Veja Cho, *O enredo da salvação*, p. 33-41.

152 RECRIADOS PELA GRAÇA

somos "luz no Senhor" (5.8). No texto grego, aliás, é dito que não apenas *pertençamos* à luz, mas que *sejamos* luz. Cristo fez de nós luz, de maneira que as pessoas ao nosso redor possam entender, também por meio de nossa ética sexual e financeira, que há sim um jeito muito melhor de ser gente. Como resultado, seguir a Jesus desemboca na realidade de que nosso simples caminhar no mundo trará a exposição das trevas: "Não participem dos feitos inúteis do mal e da escuridão; antes, mostrem sua reprovação expondo-os à luz" (5.11). Por meio de nossa imitação de Deus, finalmente as pessoas em nosso entorno poderão entender o que é liberdade e felicidade. Portanto, nossas energias devem se dedicar aos frutos da luz: "bondade, justiça e verdade" (5.9). A única maneira de se abster das obras das trevas é se ocupar com as obras da luz. Quem entendeu o evangelho de verdade não fica se perguntando quão perto pode chegar do inferno sem correr o risco de entrar nele, mas, sim, o quanto pode se assemelhar ao Deus que o salvou. O que queremos é viver de modo a agradar aquele que nos salvou: "Procurem descobrir o que agrada ao Senhor" (5.10).

Ser igreja, portanto, jamais se resume a "não fazer o que é errado", mas contempla de forma positiva "fazer o que é correto" — praticar o que estávamos incapazes de realizar por causa da escravidão do pecado. Em Efésios 2.10, Paulo já havia afirmado que Deus nos salvou em Cristo "a fim de realizar as boas obras que ele de antemão planejou para nós". Ser igreja é despertar do longo sono em que nos encontrávamos antes de o evangelho nos alcançar e ser uma amostra do raiar do sol que um dia se consumará, quando o grande Rei voltar: "Desperte, você que dorme, levante-se dentre os mortos, e Cristo o iluminará" (5.14) Assim, a partir de Efésios 5.15, o

SEPARAÇÃO DAS OBRAS DAS TREVAS 153

apóstolo nos encoraja a moldar nossos amores e apetites com base em um novo ritmo de vida. Por um lado, a igreja rejeita a imoralidade e a obscenidade, os papos vazios e os gestos jocosos, a avareza e a ganância. Por outro, a igreja adota uma nova lista de prioridades, uma nova dieta, uma nova rotina, uma nova agenda, uma nova liturgia de vida.

E isso inevitavelmente envolve o uso responsável de um dos bens mais básicos e valiosos que temos, sem o qual não conseguiríamos nos dedicar a outra coisa: o tempo. "Portanto, sejam cuidadosos em seu modo de vida. Não vivam como insensatos, mas como sábios. Aproveitem ao máximo todas as oportunidades nestes dias maus. Não ajam de forma impensada, mas procurem entender a vontade do Senhor" (5.15-17). Já parou para pensar que a primeira coisa que Deus cria, como estrutura mais fundamental para a existência no cosmo, lá em Gênesis 1, é o tempo? A criação da luz no primeiro ato da criação tem a finalidade de separar o dia da noite (Gn 1.5) — ou seja, a criação da luz é a criação do tempo, como estrutura básica de todo o restante do cosmo. O tempo é a estrutura básica até mesmo para que a matéria exista. Um dos componentes mais elementares da vida, portanto, é o tempo. Sem tempo, não se faz nada, não se vive. É o tempo que impõe sobre nós nossa finitude, e é o tempo que nos dá a estrutura básica para vivermos como seres criados à imagem e semelhança de Deus. E esse elemento é tão central para a criação que, no sétimo dia, há a santificação do tempo na consagração do sábado (Gn 2.1-3), e o Decálogo retoma essa verdade ao instruir Israel a ser um povo de adoradores do Criador (Êx 20.8). O uso adequado do tempo é essencial para que cumpramos nossa vocação como povo de Deus.

154 RECRIADOS PELA GRAÇA

Aqui convém destacar que a maneira como usamos nosso tempo diz muito sobre nós. Se podemos conhecer uma pessoa observando o que ela ama, conforme Agostinho nos ensinou, podemos descobrir o que uma pessoa ama atentando para aquilo a que ela dedica seu tempo. Investimos tempo no que damos valor. Paulo explica que brilhar a luz do Senhor, imitar a Deus, viver em amor e amadurecer à imagem de Cristo, significa remir o tempo. A expressão traduzida na NVT por "aproveitar ao máximo todas as oportunidades" no verso 16 tem o sentido de compensar o tempo desperdiçado quando estávamos em trevas. Tempo foi o bem que mais gastamos futilmente enquanto caminhávamos distantes de Deus. Mas agora que o evangelho fez de nós luz no Senhor — agora que sabemos que há uma maneira correta de viver, à luz da ressurreição de Jesus —, devemos fazer do tempo a estrutura fundamental através da qual honramos a obra de Cristo.

E como exatamente fazemos para remir o tempo? Preenchendo o tempo com sabedoria e buscando discernir como agradar o Senhor. Se soubéssemos exatamente quantas horas faltam até que chegue o momento de nossa partida, não encararíamos o tempo de forma diferente, como quem sabe que precisa fazer valer cada centavo? Procurar "entender a vontade do Senhor" (5.17) diz respeito a isso: nossos dias estão contados, e o melhor que fazemos é entregar cada momento ao serviço de Deus. E há grande urgência nisso, pois uma das coisas que a ressurreição de Jesus comprova é que a maneira de viver do mundo já está julgada. É por isso que Paulo diz que "os dias são maus" (5.16). Não temos tempo a perder!

Isso significa que aqueles que realmente entenderam os indicativos do evangelho não desperdiçarão seu precioso tempo com situações que têm o potencial de os conduzir a caminhos obscuros. Pelo contrário, no centro de nossa agenda — no topo de nossa lista de prioridades diárias — estarão ocasiões para que cultivemos uma vida de adoração e renovemos o senso de vocação como humanidade recriada pela graça. Isso explica Efésios 5.18-20: "Não se embriaguem com vinho, pois ele os levará ao descontrole. Em vez disso, sejam cheios do Espírito, cantando salmos, hinos e cânticos espirituais entre si e louvando o Senhor de coração com música. Por tudo deem graças a Deus, o Pai, em nome de nosso Senhor Jesus Cristo". Desde sempre, a embriaguez tem sido o escape mais comum para suprimir a realidade, além de ocasionar outros problemas, como confusão, brigas e libertinagem. Assim como o evangelho não tem nada contra o sexo e o dinheiro, desde que praticados sob a bênção de Deus, o vinho também é uma dádiva do Criador. O problema é quando deixamos que o vinho controle nossa vida: a embriaguez é tão destrutiva quanto a imoralidade sexual e a ganância.

Em contraste com permitir que o álcool tome controle de nossas ações, portanto, imitar a Deus e remir o tempo envolve encher-se da vida de Deus, de maneira que a vida de Deus se torne aquilo que influencia nossas decisões. Essa é a ideia que rege a comparação entre o vinho e o Espírito: não que o segundo seja uma substância quase gasosa que deixamos "fluir" ao repetir dezenove vezes um refrão com as luzes apagadas, mas sim que devemos seguir a direção da pessoa do Espírito de Deus. Afinal, o Espírito não é algo, mas alguém (4.30). O excesso de vinho nos faz perder o

156 RECRIADOS PELA GRAÇA

controle de nossos atos, ao passo que a submissão ao Espírito nos conduz a uma vida de santidade e liberdade. Ou seja, nós que já fomos selados com o Espírito Santo (1.13) e feitos santuário dele (2.22) somos instruídos também a nos colocar como recipientes de sua presença, para que sua vida se faça constantemente tangível por meio de nós. Como um filho que se "enche" de seus pais ao caminhar segundo o exemplo de vida dado por eles, a igreja se enche do Espírito conforme caminha em sua vocação de adorar a Deus. Vale citar aqui John Stott: "Se o consumo excessivo de álcool desumaniza, fazendo que um ser humano se pareça com uma fera bestial, a plenitude do Espírito faz de nós mais humanos, pois o Espírito nos torna como Cristo".[5] Ocupar nosso tempo com sabedoria e buscar discernir como agradar ao Senhor necessariamente começa com criar espaço para que o Espírito de Deus nos encha e sedimente em nós as verdades do evangelho. O Espírito nos foi dado quando Cristo nos concedeu vida nova. Precisamos do mesmo Espírito de forma contínua para que cresçamos nessa vida.

E esse preenchimento do Espírito acontece quando dedicamos tempo para estar juntos em nome de Jesus e encorajar uns aos outros com salmos, hinos e cânticos espirituais. É secundário discutir o que diferencia um salmo de um hino ou de um cântico espiritual. O ponto é que a presença de Deus nos enche quando nos reunimos para celebrar sua graça — a graça demonstrada em Cristo que faz de nós humanidade recriada. Não por coincidência, tudo isso desemboca mais uma vez em ações de graça: "Por tudo deem graças a Deus,

---

[5] John R. W. Stott, *God's New Society: The Message of Ephesians* (Downers Grove: IVP, 1999), p. 205.

SEPARAÇÃO DAS OBRAS DAS TREVAS **157**

o Pai, em nome de nosso Senhor Jesus Cristo" (5.20). Ou seja, quando congregamos para louvar a Deus e agradecer-lhe por seus grandes feitos, estamos investindo no cuidado de nosso coração e ocupando nossa mente com aquilo que é bom e belo. E aquilo que é bom e belo passa a moldar nossos apetites e nossas decisões no restante da semana. Devemos ser irredutíveis quanto à centralidade dos cultos e das ocasiões de comunhão na igreja. Preservar a unidade do Espírito, amadurecer à imagem de Cristo, imitar a Deus, viver em amor, brilhar a luz do Senhor e remir o tempo requer que, juntos, nos enchamos do Espírito Santo, celebrando a obra de Cristo e renovando nossa gratidão por tudo que ele fez.

Em síntese, ser igreja é aprender a refazer nossos hábitos, moldando nossas inclinações mais profundas em consonância com o caráter do Criador — dia após dia, repetidas vezes, sem cessar. C. S. Lewis dizia que o problema da pessoa promíscua e fútil não é que ela deseja demais; o problema é que ela deseja de menos.[6] Se desejasse de verdade, como convém, profunda e intensamente, não se contentaria com as migalhas que o mundo oferece. Saberia que somente Cristo pode saciar a fome do coração. Ser discípulo de Jesus, portanto, significa encarar o tempo com sabedoria, dedicando-se a discernir como caminhar de modo a agradar a Deus. E, no centro disso, está a necessidade de estarmos juntos, louvando e agradecendo a Deus, para que o Espírito Santo nos encha das verdades do evangelho — dia após dia, repetidas vezes, sem cessar. Para usar uma imagem emprestada de G. K. Chesterton: assim como uma criança demonstra vitalidade ao repetir a mesma brincadeira vez após vez e o

---

[6] Veja Lewis, *O peso da glória*.

158 RECRIADOS PELA GRAÇA

tempo todo, é na repetição consistente de uma rotina estruturada em torno do evangelho que o cristão experimenta a ajuda do Espírito.[7]

O que será que nossas agendas sugerem sobre nossas prioridades? Acredite: não são somente nossos apetites que determinam nossos hábitos; nossos hábitos também moldam nossos apetites. Que Deus nos ajude a crescer como seus imitadores, remindo o tempo e sendo cheios do Espírito.

---

[7] "Ora, para expressar o caso numa linguagem popular, poderia ser verdade que o sol se levanta regularmente por nunca se cansar de levantar-se. Sua rotina talvez se deva não à ausência de vida, mas a uma vida exuberante. O que quero dizer pode ser observado, por exemplo, nas crianças, quando elas descobrem algum jogo ou brincadeira com que se divertem de modo especial. Uma criança balança as pernas ritmicamente por excesso de vida, não pela ausência dela. Pelo fato de as crianças terem uma vitalidade abundante, elas são espiritualmente impetuosas e livres; por isso querem coisas repetidas, inalteradas. Elas sempre dizem: 'Vamos de novo'; e o adulto faz de novo até quase morrer de cansaço. Pois os adultos não são fortes o suficiente para exultar na monotonia.

"Mas talvez Deus seja forte o suficiente para exultar na monotonia. É possível que Deus todas as manhãs diga ao sol: 'Vamos de novo'; e todas as noites à lua: 'Vamos de novo'. Talvez não seja uma necessidade automática que torna todas as margaridas iguais; pode ser que Deus crie todas as margaridas separadamente, mas nunca se canse de criá-las. Pode ser que ele tenha um eterno apetite de criança; pois nós pecamos e ficamos velhos, e nosso Pai é mais jovem do que nós." G. K. Chesterton, *Ortodoxia* (São Paulo: Mundo Cristão, 2008), p. 100.

10
Todos sujeitos a Cristo: Unidade no casamento

....

Portanto, sejam cuidadosos em seu modo de vida. Não vivam como insensatos, mas como sábios. Aproveitem ao máximo todas as oportunidades nestes dias maus. Não ajam de forma impensada, mas procurem entender a vontade do Senhor. Não se embriaguem com vinho, pois ele os levará ao descontrole. Em vez disso, sejam cheios do Espírito, cantando salmos, hinos e cânticos espirituais entre si e louvando o Senhor de coração com música. Por tudo deem graças a Deus, o Pai, em nome de nosso Senhor Jesus Cristo.

Sujeitem-se uns aos outros por temor a Cristo.

Esposas, sujeite-se cada uma a seu marido, como ao Senhor. Pois o marido é o cabeça da esposa, como Cristo é o cabeça da igreja. Ele é o Salvador de seu corpo, a igreja. Assim como a igreja se sujeita a Cristo, também vocês, esposas, devem se sujeitar em tudo a seu marido.

Maridos, ame cada um a sua esposa, como Cristo amou a igreja. Ele entregou a vida por ela, a fim de torná-la santa, purificando-a ao lavá-la com água por meio da palavra. Assim o fez para apresentá-la a si mesmo como igreja gloriosa, sem mancha, ruga ou qualquer outro defeito, mas santa e sem culpa. Da mesma forma, os maridos devem amar cada um a sua esposa, como amam o próprio corpo, pois o homem que ama sua esposa na verdade ama a si mesmo. Ninguém odeia o próprio corpo, mas o alimenta e cuida dele, como Cristo cuida da igreja. E nós somos membros de seu corpo.

160 RECRIADOS PELA GRAÇA

"Por isso o homem deixa pai e mãe e se une à sua mulher, e os dois se tornam um só." Esse é um grande mistério, mas ilustra a união entre Cristo e a igreja. Portanto, volto a dizer: cada homem deve amar a esposa como ama a si mesmo, e a esposa deve respeitar o marido.

EFÉSIOS 5.15-33

....

Uma das primeiras coisas que recomendo na parte prática de cursos básicos de interpretação bíblica é que os alunos aprendam a "ignorar" os subtítulos adicionados nas traduções, principalmente quando se faz uma leitura mais próxima do texto. Não que sejam ruins. Os subtítulos nos ajudam bastante na hora de localizar com mais facilidade alguma passagem que estamos procurando. É que, dependendo de onde estão posicionados, essas interpolações editoriais acabam sugerindo, ainda que inconscientemente, que o autor bíblico muda de assunto, quando nem sempre é o caso. E o subtítulo que antecede Efésios 5.21 na maioria das versões em português — na NVT, por exemplo, consta a expressão "Maridos e esposas" — é um exemplo eloquente disso.

O que torna Efésios 5.21 em diante crucial dentro da exposição de Paulo sobre o significado de ser igreja é que essa passagem é a continuação direta do imperativo "sejam cheios do Espírito" no verso 18, a respeito do qual falamos no capítulo anterior. No texto grego, os imperativos que controlam a ideia central de Paulo no verso 21 são *mē methyskesthe* ("não se embriaguem") e *plērousthe* ("encham-se") do verso 18. Todas as demais palavras traduzidas com força verbal entre os versos 18-21 estão no particípio, cuja função nesse contexto é qualificar o imperativo

TODOS SUJEITOS A CRISTO **161**

plērousthe ("encham-se"). Até mesmo o termo grego traduzido por "sujeitem-se" em Efésios 5.21 é um particípio que especifica em que consiste o enchimento do Espírito. Em tempo: é perfeitamente legítimo traduzir alguns ou todos os particípios aqui como se fossem imperativos, já que no grego aqueles podem assumir a força sintática destes. De todo modo, os particípios aqui estão intimamente relacionados ao imperativo que rege a afirmação como um todo. Trocando em miúdos, é isto que Paulo está dizendo: "Não se embriaguem com vinho (imperativo), mas encham-se do Espírito Santo (imperativo). E como vocês devem fazer isso? *Falando* entre vocês com salmos, hinos e cânticos espirituais, *louvando* e *salmodiando* ao Senhor de coração, *agradecendo* a Deus, o Pai de nosso Senhor Jesus Cristo, e *sujeitando-se* uns aos outros no temor do Senhor"(tradução minha). Isso significa que a sujeição mútua do povo de Deus é tão importante para o enchimento do Espírito Santo quanto nos reunirmos para cantar, louvar e agradecer a Deus pelo evangelho. O enchimento do Espírito acontece quando, juntos, praticamos o encorajamento, a celebração e a gratidão por tudo que Deus realizou em Jesus — *e também* quando todas as nossas relações, inclusive aquelas que acontecem fora do culto dominical, estão alinhadas com a realidade de que Cristo é o cabeça de toda a criação e da igreja.

E veja que verdade maravilhosa e ao mesmo tempo desafiadora: deixar que o Espírito nos encha é uma atividade que deve ser nutrida a partir de nossas relações mais fundamentais, *dentro de casa*. Não há dicotomia, separação, distinção entre o evangelho na igreja e o evangelho em casa. Aliás, já notamos antes que o domingo não é uma válvula de escape para aliviar o restante da semana, mas é o ponto de

162 RECRIADOS PELA GRAÇA

referência que nos equipa a viver com fidelidade o restante da semana. Não deve haver separação entre a sacralidade do culto e o caráter que cultivamos em nossos lares. Infelizmente, conheço um sem-número de pessoas que cresceram na igreja e tiveram pais pastores, missionários, presbíteros (ou qualquer outro título), mas que há muito abandonaram a fé cristã. Isso porque cansaram de ver o abismo que separava a aparência de piedade que os pais demonstravam aos domingos e o tratamento nada coerente que recebiam dentro de casa. Se ser cristão é fingir ser alguém que não sou na vida real, qual é o sentido? (Digo isso com a faca em meu próprio pescoço, mas é sempre bom recordar que os nossos familiares, principalmente nossos filhos, absorvem não somente o que falamos a eles, mas principalmente como vivemos e nos relacionamos.) O "Reverendo Doutor", que toca o curso da vida de multidões a partir do púlpito, precisa se lembrar de que é chamado a amarrar o avental e lavar os pés — ou a pilha de louça — daqueles com quem convive debaixo do mesmo teto de segunda a segunda, estendendo primeiramente a estes a graça que Deus estendeu antes a ele.

O evangelho, portanto, é a mensagem mais "pé no chão" e interessada na vida real que pode existir. Pois falar de ser cheio do Espírito no "louvorzão", com pessoas que conhecemos somente dos domingos, é uma coisa. (Aliás, já estamos cansados de saber que é por essa mesma razão que as redes sociais são tão populares: as pessoas não precisam me conhecer de verdade, somente o que *eu* escolho que elas podem ver de mim.) Porém, falar de ser cheio do Espírito em casa é uma realidade bastante diferente. O evangelho é vida real, "pé no chão". Tem relevância na segunda-feira. Jesus ressuscitou. Consequentemente, somos convidados não somente a ter

TODOS SUJEITOS A CRISTO **163**

experiências religiosas agradáveis, mas a ser transformados em todas as áreas da vida, a começar pela mais básica, que é a relação familiar. É em casa que "a borracha toca o chão", que "o bicho pega", que "os meninos são separados dos homens". E é em casa que faz mais sentido falar das implicações de sermos cheios do Espírito e imitadores de Deus.

De fato, os leitores originais de Paulo, imersos na cultura patriarcal romana, teriam esperado algum tipo de explicação sobre essas dinâmicas. Pois a família era o núcleo mais elementar da sociedade romana. Tudo começava na família, e tudo se sustentava a partir da família. Como resultado, a integridade, a honra e a reputação da família eram os bens mais importantes que alguém poderia ostentar na sociedade romana. Nesse sentido, é importante perceber que, ao falar das dinâmicas familiares, Paulo não está "enfeitando" seu argumento, como se esse assunto fosse menos importante que sexo e dinheiro, por exemplo. Paulo está falando de um aspecto absolutamente central não somente no entendimento de seus leitores sobre o que significa ser gente, como também dentro dos imperativos decorrentes dos indicativos do evangelho. Cristo é o cabeça da igreja e de todas as coisas nos céus e terra. Como isso define as relações dentro do lar?

Agora, há duas razões que fazem dessa passagem uma das mais complicadas de pregar hoje em dia. Por um lado, seu conteúdo contradiz alguns dos movimentos culturais que mais estão em voga. Por outro, muitos líderes cristãos têm distorcido o sentido das instruções de Paulo aqui, de modo a se encaixarem em uma agenda igualmente nada bíblica. Ou seja, se o pensamento de que a esposa deve se sujeitar a seu marido é absolutamente rejeitado pelo feminismo secular, tal ideia é absolutamente afirmada como mecanismo

164 RECRIADOS PELA GRAÇA

de perpetuação de visões machistas do casamento por cristãos com baixíssima sensibilidade hermenêutica. Desse modo, a passagem é mencionada pelos dois lados dessa guerra cultural — seja para atacar, seja para defender a fé cristã tradicional —, mas em boa parte dos casos é interpretada equivocadamente. A dificuldade que enfrentamos ao examinar Efésios 5.21-33, portanto, diz respeito não somente a explicar o que está sendo afirmado aqui, como também a entender de que maneira a passagem foi ouvida por sua audiência original. Somente quando isso é feito podemos aplicar a instrução do apóstolo de modo responsável e justo hoje. E, para a surpresa de muitos, quando fazemos esse exercício, descobrimos que Paulo defende uma visão muito mais radical e libertadora do que supõe boa parte de seus leitores modernos.

Precisamos manter em mente quatro características da cultura romana que cerca a carta de Paulo aos Efésios. Em primeiro lugar, fundamentada em certos valores gregos, a cultura romana era extremamente hierárquica. Embora houvesse certa mobilidade social — com a possibilidade de alforria para escravos, por exemplo —, cada indivíduo devia saber o espaço que ocupava no mundo (segundo o conceito de "política" de Aristóteles), e as fronteiras sociais não podiam ser cruzadas. A linha que separava a elite do restante da população era bem clara e nada tênue. Segundo, a cultura romana era centrada na figura do homem. Era a figura do *paterfamilias* — o "pai da família" e senhor do lar — que dava coesão ao tecido social romano. (Aqueles que são de origem asiática, cultura na qual quase tudo gira em torno da honra do pai, talvez consigam se identificar com isso de forma mais imediata.) Não à toa um dos apelidos de César

TODOS SUJEITOS A CRISTO **165**

era "*paterfamilias* do império". Terceiro, honra e vergonha eram os dois critérios fundamentais que ditavam as relações e norteavam os objetivos de vida. Tudo dizia respeito a acumular uma boa reputação por meio da visibilidade e evitar cair no conceito da opinião pública. (Engana-se quem pensa que a cultura de narcisismo e a prática do "cancelamento" são invenções da nossa geração instagrâmica!) Como resultado, nada era mais importante que manter (ou adquirir mais) *status* na sociedade, com títulos, riqueza, educação ou fama. E boa parte dos conflitos e das mais variadas causas de estresse estava relacionada à perda de *status*. Quarto, e finalmente, embora as mulheres fossem via de regra relegadas ao lar, encorajadas a atrair a admiração da população por sua dedicação aos afazeres de casa, elas tinham uma participação altamente determinante nos bastidores, por vias extraoficiais. Basta ver o papel crucial que algumas mulheres exerceram na vida dos imperadores romanos para ter uma noção desse fato. Assim, era comum que os homens se curvassem à vontade das mulheres pela influência que elas exerciam no ambiente privado. (Eu não ficaria surpreso se "o homem é a cabeça, a mulher é o pescoço" fosse um provérbio romano.) E a proeminência das mulheres era vista especialmente em ambientes religiosos que exigiam a presença de sacerdotisas, entre os quais o culto a Ártemis em Éfeso é de primeira relevância para nós.[1]

À luz dessa compreensão básica de como funcionava a sociedade romana, fica mais simples de perceber que, ao falar sobre "sujeição", Paulo se vale de um conceito muito familiar

---

[1] Veja mais detalhes de como aconteciam as dinâmicas familiares no Império Romano em Cohick, *The Letter to the Ephesians*, p. 539-47, e nas referências secundárias ali mencionadas.

166 RECRIADOS PELA GRAÇA

a seus ouvintes originais. E o ponto é simples: Deus é Deus de ordem — Jesus ressuscitou e, por isso, existe uma maneira correta de viver —, e o evangelho não é uma desculpa para que cada um estabeleça suas próprias normas sociais, como bem entender. Ao criar o universo, Deus ordenou o caos. E, ao nos redimir em Cristo, ele restaura a ordem que foi manchada pelo pecado. É isso que está por trás de Romanos 13.1-7, em que Paulo encoraja os cristãos em Roma a se sujeitarem às autoridades seculares. A postura de Paulo frente ao Império Romano é um assunto vasto, que exigiria de nós todo um estudo à parte. Mas cabe apenas mencionar que o apóstolo, assim como os autores do Novo Testamento, entendia o evangelho como uma realidade subversiva por natureza, já que a chegada definitiva do reino de Deus na pessoa de Jesus, o Senhor único do universo, representava uma ameaça natural a quem quer que ocupasse posições de poder no mundo. Contudo, o evangelho jamais se traduz na tentativa de tomar o trono romano à força. Tanto é que Paulo nunca sequer menciona César como uma figura que possui significância última em seus escritos. Diante da ressurreição de Jesus, nem mesmo o homem mais poderoso do mundo poderia ter qualquer relevância para o sentido da existência humana. O impacto da vitória de Cristo sobre a morte vai na raiz do problema, do qual César é apenas um pequeno sintoma: as forças do pecado e da morte que operam nesta era caída.[2] E no próprio

---

[2] Veja em especial a monumental análise de C. Kavin Rowe, *World Upside Down: Reading Acts in the Greco-Roman Age* (Oxford: Oxford University Press, 2010); e John M. G. Barclay, *Paul and the Gift* (Grand Rapids: Eerdmans, 2015). Para uma leitura muito perspicaz de Romanos 13.1-7, em que a exortação de Paulo jamais justifica aceitação passiva do *status quo*, veja Esau McCaulley, *Uma leitura negra: Interpretação bíblica como exercício de esperança* (São Paulo: Mundo Cristão, 2020), p. 33-51.

TODOS SUJEITOS A CRISTO **167**

tumulto em Éfeso, embora os guardiões do culto a Ártemis tenham se sentido ameaçados com a pregação do evangelho, ninguém conseguiu acusar os cristãos de crime algum: "Vocês trouxeram estes homens aqui, mas eles não roubaram nada do templo nem disseram coisa alguma contra nossa deusa" (At 19.37). Em Efésios 5.21-33, então, o apóstolo segue a longa instrução bíblica de que há uma ordem criacional boa, estabelecida pelo próprio Criador, que deve ser mantida por aqueles que estão agora em Cristo.

A questão, porém, é que Paulo fala de "sujeição" por uma perspectiva completamente pautada no evangelho, a partir do senhorio de Cristo. Ora, fazia muito sentido na cultura romana falar de sujeição, especialmente no que dizia respeito às mulheres, às crianças e aos escravos. Já que nada é mais importante que manter intacto o tecido social romano, um leitor romano elogiaria a ênfase de Paulo sobre a necessidade de sujeição por parte de todos ao *paterfamilias*. Falar de sujeição *mútua*, porém, inclusive de maridos às esposas, de pais aos filhos e de senhores aos escravos era totalmente inesperado! E é isso mesmo que Paulo afirma: "Encham-se do Espírito [...] sujeitando-se uns aos outros" (5.18,21, tradução minha). Entender esse ponto é relevante para a nossa leitura da passagem, pois a sujeição da esposa ao marido, por exemplo, deve ser entendida no contexto em que Paulo interpela seus leitores a que *todos* se sujeitem *uns aos outros*. De fato, não há verbo algum no verso 22 — literalmente, o texto grego lê "as esposas aos seus próprios maridos, como ao Senhor".[3] As traduções em português precisam suprir o

---

[3] Para ser mais exato, há um problema textual: alguns manuscritos preservam outras leituras, e uma delas inclui o imperativo *hypotassesthōsan* ("submetam-se") no verso 22. Peter Gurry recentemente argumentou em

168 RECRIADOS PELA GRAÇA

termo "sujeitem-se" para esclarecer o sentido das palavras de Paulo, mas o verbo que rege o verso 22 é o particípio do verso 21: "sujeitando-se uns aos outros".

E por que Paulo ajusta a ênfase desse princípio de sujeição? Porque, conforme temos visto em Efésios, todos nós — homens e mulheres — estávamos mortos, mas agora estamos de pé unicamente pela obra de Cristo. Consequentemente, nessa humanidade recriada pela graça que é a igreja, todos os aspectos de nossa existência, inclusive as dinâmicas sociais dentro da família, são redefinidos a partir do senhorio de Cristo. Ele é o cabeça de céus e terra, ele é o cabeça da igreja, ele é o cabeça de todas as famílias que confessam seu nome. É por isso que Paulo tem falado tanto sobre *unidade* e sobre o fato de sermos *membros uns dos outros* no evangelho. Todos nós que pertencemos à igreja — homens, mulheres, crianças, escravos, livres, judeus, gentios — somos membros do mesmo Corpo.

Segue disso que, ao contrário do que pensam muitos leitores modernos, a força de Efésios 5.21 em diante reside na necessidade não somente de sujeição, mas principalmente de sujeição *mútua*, por causa de Cristo. Em Cristo, ninguém é ontologicamente superior a ninguém, não há hierarquia de mérito entre nós, "não há mais judeu nem gentio, escravo nem livre, homem nem mulher, pois todos vocês são um em

---

favor da inclusão de *hypotassesthōsan* como a leitura original mais provável ("The Text of Eph 5.22 and the Start of the Ephesian Household Code", *New Testament Studies* 67 [2021], p. 560-81). Ainda que ele esteja correto, porém, o imperativo do verso 22 teria de ser lido em conexão com a injunção à submissão mútua no verso 21. De qualquer forma, é equivocado rejeitar completamente a ideia de sujeição no verso 22, só pela ausência do verbo, como faz Cynthia Long Westfall (*Paul and Gender: Reclaiming the Apostle's Vision for Men and Women* [Grand Rapids: Baker], p. 100). Evidentemente, o verso 21 estabelece o contexto.

TODOS SUJEITOS A CRISTO **169**

Cristo Jesus" (Gl 3.28).[4] Existe uma ordem criacional, sim, mas jamais deve existir uma hierarquia meritória de dignidade — muito menos com base no órgão reprodutivo. Em outras palavras, no evangelho a sujeição é mútua porque todos nós, sem exceção, estamos sujeitos a *Cristo*. É por isso que Paulo complementa: "Encham-se do Espírito [...] sujeitando-se uns aos outros *por temor a Cristo*". O Senhor Jesus está acima de todos, e o Senhor Jesus deve estar no centro de todas as nossas relações, inclusive — ou melhor, especialmente — as conjugais. Ao praticar a sujeição mútua, o que na verdade estamos praticando é a sujeição a Cristo.

E como essa sujeição mútua acontece? Para começar, a esposa é convocada a se sujeitar ao marido: "Esposas, sujeite-se cada uma a seu marido, como ao Senhor. Pois o marido é o cabeça da esposa, como Cristo é o cabeça da igreja. Ele é o salvador de seu corpo, a igreja. Assim como a igreja se sujeita a Cristo, também vocês, esposas, devem se sujeitar em tudo a seu marido" (5.22-24). Com os indicativos do evangelho em mente, no entanto, fica óbvio que tal sujeição de modo nenhum compactua com obediência cega em tudo, muito menos com tolerância a uma relação abusiva, tóxica ou violenta. Anos atrás, assisti a uma entrevista de uma das figuras mais influentes do evangelicalismo anglófono — um então pastor que, diga-se de passagem, é tido por muitos no Brasil como um daqueles semipapas, cujas palavras são consideradas praticamente infalíveis —, na qual ele foi perguntado

---

[4] É importante dizer isso de forma enfática, pois recentemente alguns têm defendido a ideia muito estranha de que o Filho é eternamente subordinado ao Pai (não somente durante a missão terrena de Jesus) para sugerir a tese abominável de que as mulheres são "ontologicamente inferiores" aos homens.

170 RECRIADOS PELA GRAÇA

por uma mulher sobre o que deveria ser feito no caso dela. Seu marido era um alcoólatra extremamente violento, que a agredia verbal e fisicamente todos os dias, exigindo que ela estivesse sexualmente disponível sempre que ele chegava embriagado em casa. Fazia anos que a mulher em questão suportava aquilo, mas ele recusava buscar ajuda clínica ou qualquer tipo de mudança. Como proceder? E o que me deixou mais horrorizado naquela interação foi a resposta dada pelo pastor a esse dilema. Tendo dado um sorriso constrangido, ele respondeu: "Ah, irmã, essa pergunta é muito difícil, pois há a questão da sujeição...". Não, não, não — mil vezes não! Essa pergunta não é difícil! É facílima: a mulher em questão devia procurar um abrigo seguro e denunciar imediatamente à polícia o canalha que ainda pensava ser o marido dela! Desde que se provou uma pessoa violenta, abusiva e sobretudo impenitente, esse monstro perdeu completamente a prerrogativa daquela aliança matrimonial.[5] Um milhão de vezes não — não é disso que Paulo está falando!

---

[5] Cabe lembrar que, em 1Coríntios 7.12-16, Paulo autoriza a separação de cônjuges por muitíssimo menos: "Se, porém, o cônjuge descrente insistir em se separar, deixe-o ir. Nesses casos, o irmão ou a irmã não está mais preso à outra pessoa, pois Deus os chamou para viver em paz. Você, esposa, como sabe que seu marido poderia ser salvo por sua causa? E você, marido, como sabe que sua esposa poderia ser salva por sua causa?" (1Co 7.15-16). O que faz alguém — especialmente um pastor e teólogo — concluir que Paulo espera a sujeição da esposa em absolutamente tudo, como se ela fosse propriedade do marido?! Certamente não é o Espírito Santo nem os indicativos do evangelho! Ademais, nos Evangelhos canônicos, quando Jesus proíbe o divórcio exceto em casos de "imoralidade sexual", ele se alinha de forma parcial à visão dos fariseus shamaítas para refutar a prática defendida pelos hilelitas de que até mesmo uma comida queimada justificaria a rejeição da esposa por parte do marido (cf. Mt 19.1-12; *m. Git.* 9.10; Josefo, *Antiguidades*, 4.253). Assim, Jesus não

TODOS SUJEITOS A CRISTO **171**

Na verdade, mais uma vez, a esposa deve se sujeitar ao marido porque todos, inclusive os maridos, estão sujeitos ao Senhor. E, na ordem criacional estabelecida por Deus, existe um paralelo entre a relação entre Cristo e a igreja, e entre o marido e a esposa. É por isso que Paulo utiliza a figura do marido como "cabeça" da esposa. É verdade que não há consenso entre os eruditos quanto ao sentido exato dessa metáfora aqui. Considerando as ênfases teológicas que Paulo tem elaborado desde o primeiro capítulo de Efésios, porém, é mais provável que a referência ao marido como cabeça da esposa conote autoridade e representatividade, já que, entre todos os benefícios que Cristo oferece à igreja, é isso que pode ser estendido de forma mais natural para a relação entre marido e esposa dentro do que Paulo afirma no verso 22. O contexto romano, em que o *paterfamilias* era a autoridade e o representante do lar, corrobora essa leitura.[6]

Há que se notar, porém, que Paulo não *equipara* a relação entre marido e esposa com Cristo e a igreja. O paralelo tem um limite. Afinal, somente Cristo é o "salvador de seu corpo, a igreja", ao passo que o marido jamais tem a capacidade de assumir tal prerrogativa em relação à esposa. Longe de autorizar uma percepção puramente hierárquica na relação entre marido e esposa — como no caso da sociedade romana, em que por vezes os homens tinham poder absoluto sobre as

somente afirma a sacralidade do casamento, como também coloca a culpa no marido que rejeita sua esposa por qualquer motivo fútil. De todo modo, em nenhum momento a Bíblia abre espaço para a conclusão de que a sujeição da mulher inclui o tipo de situação acima.

[6] Veja Plutarco, *Moralia*, 142. Para mais detalhes, veja Lincoln, *Ephesians*, p. 368-70. Outra conotação possível é a ideia de liderança. Outra, menos provável, é o sentido de fonte.

172 RECRIADOS PELA GRAÇA

mulheres —, a imagem da sujeição da esposa a seu "cabeça" destaca não somente a *diferença* entre essas partes, mas principalmente sua *unidade*. Em Efésios 1.22-23, Paulo deixou claro que o resultado do evangelho é que Cristo se tornou o cabeça da igreja e, como resultado, a igreja está *unida* a Cristo. Ou seja, existe uma distinção funcional dentro da realidade criada por Deus — não menos entre Cristo e a igreja —, e a dinâmica entre marido e esposa deve refletir esse mesmo princípio, em que marido e esposa assumem papéis particulares. Homens são chamados a viver como homens, e mulheres são chamadas a viver como mulheres — "macho e fêmea Deus os criou" (Gn 1.27). A ênfase de Paulo, entretanto, está na unidade. Sujeitem-se não porque os maridos são superiores (não são), e as esposas são inferiores (não são). Sujeitem-se porque todos estamos unidos a Cristo, e todos estamos livres para cumprir nossas funções específicas dentro do lar com amor. A sujeição aqui tem o sentido de preservar a unidade, de nutrir a unidade da família para que a família expresse a humanidade recriada pela graça. Afinal de contas, no princípio, homem e mulher eram "osso do mesmo osso e carne da mesma carne" (Gn 2.23). Foi o pecado que fragmentou essa harmonia: "Seu desejo será para seu marido, e ele a dominará" (Gn 3.16). É se sujeitando ao marido "como ao Senhor" que a esposa preserva a unidade do Espírito.

Esposas, entendam: vocês já estão unidas a Cristo. Não tentem dominar o cônjuge, como faziam muitas mulheres na sociedade romana, por meio de intrigas e manipulações, pois todos estamos sob o domínio de Cristo. Nossa identidade é Cristo, não aquilo que a sociedade tenta impor sobre nós — seja para nos exaltar, seja para nos rebaixar. Vocês e seus maridos são um time, uma carne, o núcleo mais básico da

TODOS SUJEITOS A CRISTO **173**

igreja, onde o evangelho deve ser vivido em primeiro lugar. Vocês e seus maridos são a primeira comunidade que o Espírito deseja encher. A sujeição mútua diz respeito à unidade com Cristo. Sejamos um dentro de casa também.

Agora, se Paulo não fosse um apóstolo de Jesus, essa parte da carta teria pulado diretamente para Efésios 6.1 em diante, em que a obediência dos filhos é abordada. Nesse ponto, porém, vemos mais uma vez como o evangelho se mostra contracultural, capaz de moldar uma nova humanidade em torno da graça de Deus em Cristo. Pois Paulo, tendo lidado com a responsabilidade das esposas de cultivar a unidade dentro de casa, agora chama a atenção dos maridos — e, com efeito, gasta muito mais espaço para fazer isso. E a lógica é exatamente a mesma: já que somos um com Cristo e em Cristo, o marido deve agora entender que sua obrigação maior, mais suprema, é cultivar essa unidade dentro de casa: "Maridos, ame cada um a sua esposa, como Cristo amou a igreja. Ele entregou a vida por ela, a fim de torná-la santa, purificando-a ao lavá-la com água por meio da palavra. Assim o fez para apresentá-la a si mesmo como igreja gloriosa, sem mancha, ruga ou qualquer outro defeito, mas santa e sem culpa" (5.25-28). Nota-se que, enquanto a sociedade romana colocava toda responsabilidade de cuidar do lar na figura da mulher, o evangelho nivela a todos pela graça imerecida de Deus, enfatizando a responsabilidade que o homem agora tem de manter a saúde da família em uma postura de serviço. E o ponto de referência é o próprio Cristo.

Enquanto a norma hierárquica e machista da sociedade romana era que tudo trabalhasse para a glória e honra do *paterfamilias*, descobrimos no evangelho que o cabeça de todo o universo veio até nós quando estávamos mortos em nossos

174 RECRIADOS PELA GRAÇA

delitos, e ele mesmo nos purificou para fazer de nós membros de seu Corpo. Cristo mostrou o que realmente significa ter autoridade: ele se entregou por nós e nos acolheu para que pudéssemos compartilhar de sua vida — e nós, homens (maridos ou solteiros), estamos todos incluídos nisso! Assim, a glória do verdadeiro *paterfamilias* que se tornou humanidade recriada pela graça é amar e servir a esposa sem restrições, como o próprio Cristo fez por todos nós. É urgente que nos lembremos dessa vocação, já que temos testemunhado o surgimento de conceitos espúrios de masculinidade, que pouquíssimo se assemelham ao padrão de Cristo. É assim que os indicativos do evangelho intimam os maridos a imitar a Deus e a se encher do Espírito dentro de casa: estendendo, cada um à sua esposa, a graça que temos recebido de Cristo, na forma de provisão, proteção, acolhimento e encorajamento, de modo que ela cresça como seguidora fiel de Cristo. Ou seja, o papel do marido é contribuir para que sua esposa amadureça como membro da igreja, "gloriosa, sem mancha, ruga ou qualquer outro defeito, mas santa e sem culpa". É curioso que Paulo se valha da imagem da "lavagem com água", que remonta à instrução levítica sobre a purificação cerimonial a qual uma mulher deveria se submeter após o período menstrual — em que se encontrava impura e, portanto, impossibilitada de se aproximar da presença de Deus (Lv 15). Considerando o fato de que todos nós, inclusive os maridos, fomos alvos da purificação que Deus realizou por sua palavra, a que a "lavagem de água" serve de analogia, é possível que o apóstolo queira lembrar os maridos de que as esposas têm, em Cristo, plena participação na aliança e no povo de Deus. Amar a esposa como Cristo ama a igreja é ser para ela instrumento da restauração que há no evangelho.

TODOS SUJEITOS A CRISTO **175**

Desse modo, se somos membros de Cristo e uns dos outros no contexto da igreja, isso é ainda mais real entre marido e esposa. Por essa mesma razão, Paulo insiste, mais uma vez, na unidade entre os cônjuges: "Da mesma forma, os maridos devem amar cada um a sua esposa, como amam o próprio corpo, pois o homem que ama sua esposa na verdade ama a si mesmo. Ninguém odeia o próprio corpo, mas o alimenta e cuida dele, como Cristo cuida da igreja. E nós somos membros de seu corpo" (5.29-30). Todo mundo se preocupa em alimentar o próprio corpo — inclusive Cristo. E é assim que o marido deve enxergar a esposa. Não como propriedade ou instrumento de satisfação pessoal, mas como membro de um só corpo. Importa repetir: no princípio, homem e mulher eram "osso do mesmo osso e carne da mesma carne" (Gn 2.23) — foi o pecado que fragmentou essa harmonia (Gn 3.16).

Maridos, entendam: Deus lhes deu o privilégio de praticar sua fé e seu amor a Cristo, em primeiro lugar, com sua esposa. E a primeira coisa que Deus perguntará para vocês no último dia será como amaram sua esposa. A esposa não existe para satisfazer seus anseios e ambições. Você e sua esposa são um. É dever de todos os maridos, portanto, amar suas esposas.

Em Efésios 5.17-33, Paulo nos lembra de que uma igreja saudável, que permanece firme nos indicativos do evangelho e serve de bênção por muitas gerações, é uma igreja cheia do Espírito a partir dos lares, das relações conjugais. Então, para concluir essa parte, devemos recordar que o casamento é uma vocação. Há muitos que acreditam que o celibato é para aqueles que têm algum chamado especial da parte de Deus, como se o casamento fosse o curso natural (leia-se: nada

176 RECRIADOS PELA GRAÇA

especial) da vida. Pode até ser verdade que o celibato seja uma vocação, mas não se deve esquecer que o casamento também é um chamado especial. Em 1Coríntios 7, o apóstolo discorre sobre isso. Na perspectiva do evangelho, o casamento é uma missão.[7] O casamento não é somente o resultado de um romance: é a decisão que o homem toma de aprender a amar a esposa como Cristo ama a igreja, e que a mulher toma de se sujeitar ao marido como a igreja está sujeita a Cristo. O casamento é a jornada em que marido e mulher aprendem que são um, como Cristo e a igreja são um. Paulo acha isso tão importante que não somente leva seus leitores ao texto fundacional da instituição do casamento (Gn 2.24), como também descreve a união conjugal como uma ilustração de nossa união com o próprio Cristo: "'Por isso o homem deixa pai e mãe e se une à sua mulher, e os dois se tornam um só'. Esse é um grande mistério, mas ilustra a união entre Cristo e a igreja" (5.31-32). A vida conjugal em Cristo nos leva de volta aos propósitos de Deus para a humanidade no Éden, ao mesmo tempo que serve de antecipação do que experimentaremos no mundo vindouro. É a partir de casa, portanto, que vivemos o evangelho de verdade e experimentamos a presença do Espírito de verdade.

---

[7] Essa é uma das teses centrais de Timothy e Kathy Keller, *O significado do casamento* (São Paulo: Vida Nova, 2012).

11

Todos sujeitos a Cristo: Unidade no lar

....

Filhos, obedeçam a seus pais no Senhor, porque isso é o certo a fazer. "Honre seu pai e sua mãe." Esse é o primeiro mandamento com promessa. Se honrar pai e mãe, "tudo lhe irá bem e terá vida longa na terra".

Pais, não tratem seus filhos de modo a irritá-los; antes, eduquem-nos com a disciplina e a instrução que vêm do Senhor.

Escravos, obedeçam a seus senhores terrenos com respeito e temor. Sirvam com sinceridade, como serviriam a Cristo. Procurem agradá-los sempre, e não apenas quando eles estiverem observando. Como escravos de Cristo, façam a vontade de Deus de todo o coração. Trabalhem com entusiasmo, como se servissem ao Senhor, e não a homens. Lembrem-se de que o Senhor recompensará cada um de nós pelo bem que fizermos, quer sejamos escravos, quer livres.

Senhores, assim também tratem seus escravos. Não os ameacem; lembrem-se de que vocês e eles têm o mesmo Senhor no céu, e ele não age com favoritismo.

EFÉSIOS 6.1-9

....

Na primeira metade de Efésios, vimos que o evangelho diz respeito à vitória de Jesus sobre a morte, quando todos nós já estávamos mortos em nossos pecados e transgressões. Paulo afirma a autoridade de Cristo sobre todas as coisas nos céus e na terra em decorrência da ressurreição, e nos lembra de

178 RECRIADOS PELA GRAÇA

que, em Cristo, somos herdeiros da vida eterna no mundo vindouro. E o Espírito Santo já nos selou para essa finalidade, fazendo da igreja seu lugar de morada. Como resultado, fomos salvos *de* uma realidade *para* outra realidade: do domínio das trevas para expressar a multiforme sabedoria do Deus que nos salvou. Somos a humanidade recriada pela graça que está sendo moldada à imagem de Cristo.

Na segunda metade de Efésios, Paulo explica que pertencer a Jesus significa preservar a unidade, ser imitador de Deus e encher-se do Espírito. Ser igreja é estar unido a Cristo e viver, em todas as áreas da vida, à luz dessa realidade. E, no capítulo anterior, vimos que o evangelho é tão fundamental para a definição de nossa identidade que ele reordena nossas relações mais básicas, a começar pela família, a organização mais basilar de qualquer sociedade. Já que somos colocados em uma posição de aprender Cristo, o evangelho relativiza todos os valores que anteriormente determinavam nossas relações. Acima de todos os padrões de vida que possamos ter herdado de nossos antepassados ou de nossa cultura, nosso referencial absoluto agora é o caráter de Deus revelado em Jesus. Consequentemente, viver em sintonia com a presença do Espírito de Deus envolve estruturarmos nossos lares a partir do evangelho. E o evangelho nos convoca à sujeição mútua no temor do Senhor (5.21). Imitar a Deus significa que a esposa cultive a unidade em Cristo dentro de casa, sujeitando-se ao marido como a igreja está sujeita a Cristo, e que o marido cultive a unidade em Cristo dentro de casa, amando a esposa como Cristo amou a igreja.

Em Efésios 6.1-9, Paulo continua a desenvolver esse mesmo argumento, aplicando-o agora às outras duas

TODOS SUJEITOS A CRISTO **179**

instâncias fundamentais que constituíam o lar na sociedade romana: a relação entre pais e filhos, e a relação entre senhores e escravos. É bom lembrar neste ponto que, embora o evangelho jamais proponha uma "virada de mesa" nas dinâmicas sociais, ainda assim apresenta um potente contraponto aos valores mais basilares que sustentam as relações dos mais diversos contextos. Em contraste com a hierarquia, o patriarcalismo, a tara por *status* e as tramas tão presentes na cultura romana, Paulo interpela os cônjuges a que se sujeitem todos juntos a Cristo e uns aos outros.

Pois bem, se fizermos o mesmo exercício de localizar Efésios 6.1-9 em seu contexto de origem, notaremos que os imperativos aqui são, mais uma vez, bastante radicais e libertadores. Os filhos passavam a ter voz própria ou algum tipo de agência somente quando se tornavam *paterfamilias*, senhores do próprio lar. E, salvo algumas exceções, os escravos eram considerados meras propriedades de seus senhores, não totalmente humanos. De fato, Paulo instrui tanto os filhos como os escravos a honrarem a Deus em suas relações com seus pais e com seus senhores respectivamente: "Filhos, obedeçam a seus pais no Senhor, porque isso é o certo a fazer. [...] Escravos, obedeçam a seus senhores terrenos com respeito e temor. Sirvam com sinceridade, como serviriam a Cristo" (6.1,6). Mas, o que exatamente Paulo sugere aqui? O evangelho chancela o poder absoluto dos pais sobre a vontade dos filhos e a instituição da escravidão?

A resposta é obviamente negativa. Paulo conhecia muito bem sua Bíblia. E, sendo um bom conhecedor das Escrituras, Paulo sabia, por exemplo, que Deus havia criado todos os seres humanos segundo a sua imagem, e que a escravidão foi uma das consequências mais trágicas da entrada do

180 RECRIADOS PELA GRAÇA

pecado no mundo em Gênesis 3. A questão é que a revelação de Deus sempre lidou com a humanidade a partir da condição bagunçada em que ela se encontrava. Deus nunca se comunicou conosco do topo de uma torre de marfim, esperando que subíssemos uma escada que ele sabia sermos incapazes de escalar. A revelação de Deus sempre se acomodou ao mundo real. E a instituição da escravidão era a base de todas as sociedades da face da terra naquela época. Nas palavras de N. T. Wright, "Paulo não podia contemplar um mundo sem escravidão, assim como nós não podemos contemplá-lo sem eletricidade".[1] Portanto, Paulo entendia que a estratégia adotada por Deus para a transformação de *sistemas* injustos era a transformação de *pessoas* injustas. O evangelho contempla, sim, um mundo sem escravidão, tanto é que, em muitas outras passagens do Novo Testamento, há uma crítica explícita a esse sistema (Fm 1; 1Co 7.20-24),[2] e a própria lei de Moisés, com sua prescrição sobre o Ano do Jubileu, serviu de base para a visão negativa da escravidão (Lv 25). Mas, ao encorajar o fim da escravidão, o evangelho concretiza o fim do domínio do pecado sobre aqueles que creem no evangelho.

O ponto de Paulo é que até mesmo um escravo se torna herdeiro do reino de Deus em Cristo. Como resultado, até mesmo um escravo é chamado a imitar a Deus, ainda que debaixo dessa condição deplorável. Afinal, Jesus é o próprio Deus que se fez carne e assumiu a forma de escravo para reverter o poder do caos e nos salvar (Fp 2.7), e Paulo vê como motivo de orgulho ser chamado de "escravo de Jesus

[1] Wright, *Efésios*, p. 92.
[2] Veja Bernardo Cho, "Subverting Slavery: Philemon, Onesimus, and Paul's Gospel of Reconciliation", *Evangelical Quarterly* 86 (2014), p. 99-115.

Cristo" (Rm 1.1). O termo traduzido por escravo nessas duas instâncias é *doulos*, que é muito mais forte que "servo" — "escravo" faz mais justiça à palavra. E, em 1Coríntios 7.22, o apóstolo é categórico quanto à nova realidade, totalmente invertida, que o evangelho nos faz perceber: "E, se você era escravo quando o Senhor o chamou, agora é livre no Senhor. E, se você era livre quando o Senhor o chamou, agora é escravo de Cristo". No evangelho, então, um escravo descobre que o seu senhor é senhor apenas "terreno" — no grego, *kata sarka*, "segundo a carne" —, porque seu Senhor de verdade é aquele que possui todas as coisas nos céus e na terra. Em outras palavras, o evangelho nos torna escravos do verdadeiro Senhor do universo e, paradoxalmente, nos torna livres para servir nossos senhores terrenos de todo o coração. É por isso que Paulo não tem problema nenhum em se identificar como "escravo de Cristo", e é por isso que Paulo coloca todo o foco no serviço a Cristo — nossa vocação é agradar a Cristo.

E essa mesma lógica se aplica aos filhos: só porque todos os que creem em Jesus recebem a "adoção" do próprio Deus, não segue disso que o evangelho autoriza os filhos a se rebelarem contra seus pais. Eu mesmo perdi a conta de quantas vezes fui incitado a "seguir meu chamado" — leia-se: "abandonar a faculdade que meus pais pagaram a duras penas até então" — em meu primeiro ano de caminhada como discípulo, sob o pretexto de que "quem não odeia pai e mãe por causa de Jesus não é digno dele". (Graças a Deus que, entre as muitas tolices que meus pais suportaram de minha parte naquela fase, largar a faculdade não foi uma delas!) Pelo contrário, já que Cristo nos ensina a honrar nosso Pai celestial supremo, o evangelho nos ajuda a cumprir ainda

182 RECRIADOS PELA GRAÇA

mais cabalmente o mandamento de honrar nossos pais terrenos. Por outro lado, essa obediência é sempre "no Senhor" (6.1). Em Cristo, há, sim, uma hierarquia de amores e lealdades que incluem até mesmo nossos pais. Isso implica dizer que, em Cristo, somos livres da tirania da opinião de nossos pais — em Cristo, temos, sim, nossa própria voz —, mas ao mesmo tempo somos chamados a servir a Cristo honrando da melhor forma nossos pais. Uma das coisas que convenceram meus pais de que eu de fato havia sido encontrado por Cristo foi ver como passei a tratá-los de modo diferente depois de minha conversão. Por causa de minha submissão total a Cristo, passei a amá-los melhor. O evangelho reconfigura todas as nossas relações a partir de quem Jesus é.

Agora, se Paulo tivesse dito somente essas coisas, de novo ele já teria soado suficientemente revolucionário para o gosto de qualquer cidadão romano. Imagine um *paterfamilias* ouvindo a pregação de Paulo sobre a obediência qualificada dos filhos e a submissão dos escravos a outro Senhor! E detalhe: tudo isso era lido em público nas igrejas, na presença de maridos e esposas, de pais e filhos, de senhores e escravos. O evangelho, porém, percorre a "segunda milha": tendo falado aos filhos e aos escravos, Paulo agora se dirige especificamente à figura do *paterfamilias*. E aqui o aspecto crucial é que Paulo se dirige especificamente à figura masculina do pai e senhor da casa. Ao falar de "pais" no verso 1, o apóstolo utiliza a expressão *tois goneusin*, que inclui pais e mães, como no inglês *parents*. No verso 4, porém, a expressão "os pais" verte o grego *hoi pateres*, uma referência exclusiva à figura do *paterfamilias*. Isso é significativo pois, conforme mencionamos no capítulo anterior, o papel de educar os filhos e de administrar a serventia da

TODOS SUJEITOS A CRISTO **183**

casa pertencia predominantemente às esposas. O pai era aquele que só desfrutava dos benefícios e recebia as honrarias decorrentes de uma casa bem ordenada. (Mais uma vez, descendentes de asiáticos entenderão de imediato essa dinâmica.) Em Cristo, porém, descobrimos que estamos vivos somente porque Deus veio até nós para nos dar vida. Desse modo, o evangelho nos ensina algo essencial sobre o significado de ser pai e senhor: ser pai é servir, não ser servido; e ser senhor é tratar com bondade, não explorar. O próprio Cristo demonstrou o que é poder e glória ao amarrar uma toalha na cintura e lavar os pés de seus discípulos (Jo 13.1-17, que deve ser lido no contexto de Jo 12.20-36). Assim como a autoridade do marido deve ser um reflexo da autoridade de Cristo — à medida que aquele imita este, amando e se entregando por sua esposa —, o *paterfamilias* têm também a enorme responsabilidade de imitar a Deus, contribuindo ativamente na edificação de seus filhos e de todos os que estão sob seus cuidados.

Assim, o papel que o evangelho chama os pais a adotarem é o de exemplo de discípulo de Cristo, de alguém que preserva a unidade do Espírito e que imita a Deus: "Pais, não tratem seus filhos de modo a irritá-los; antes, eduquem-nos com a disciplina e a instrução que vêm do Senhor" (6.4). Em profundo contraste com a cultura romana (ou a nossa também), Cristo mostra que sua autoridade não se traduz em autoritarismo. A ideia de "irritar" os filhos aqui provavelmente pressupõe o cenário de um pai cobrando um conhecimento ou um padrão moral de seus filhos que nem mesmo ele demonstra. Antes, o pai também, não somente a mãe, deve ser aquele que instrui, que aconselha, que corrige, que dá o exemplo do que é ser humanidade recriada pela graça.

184 RECRIADOS PELA GRAÇA

Tenho muitos amigos que vieram à fé em Cristo graças ao testemunho fiel de seus pais, e alguns deles no contexto de uma transformação radical ocasionado pelo evangelho na vida desses pais. O evangelho transforma o mundo a partir de relacionamentos transformados! Além do mais, o papel que Paulo chama os senhores a adotarem é o de cuidadores: "Senhores, assim também tratem seus escravos. Não os ameacem; lembrem-se de que vocês e eles têm o mesmo Senhor no céu, e ele não age com favoritismo" (5.9). Note o peso das expressões "assim também tratem", "vocês e eles têm o mesmo Senhor no céu" e "ele não age com favoritismo". Em outras palavras, tudo que Paulo disse antes aos escravos vale agora para os senhores também. O Senhor dos dois é o mesmo! Ser igreja, portanto, é entender que nossas relações são mediadas por Cristo e têm em vista o benefício dos outros, principalmente dos mais vulneráveis. Jesus morreu e ressuscitou dos mortos, nos fez herdeiros de sua glória e nos deu de seu próprio Espírito para que seu reino se concretizasse em nossos lares.

Enquanto terminava a edição deste capítulo, fiquei sabendo que a mãe de um membro da igreja a que pertenço — uma senhora temente, que ama o Senhor —, percebendo que muitos funcionários de sua empresa do ramo do vestuário não tinham condições de incluir alimentos ricos em proteína em suas marmitas, decidiu alguns anos atrás fornecer todos os dias, gratuitamente e sem descontar dos salários, um componente proteico no prato deles, além de lhes fazer um churrasco mensal. Que percepção maravilhosa da graça de Jesus a ponto de ter essa sensibilidade pela necessidade daquelas pessoas! E que convicção constrangedora do senhorio de Cristo a ponto de entender que era responsabilidade dela fazer algo a respeito daquilo! Em contrapartida, conheço também alguns empresários que, embora frequentem a igreja, tocam seu negócio como qualquer outro pagão, tentando se convencer de que estão servindo a Deus só por ligarem uma música *gospel* no ambiente de trabalho. É claro que devemos cuidar para não aplicar as palavras de Paulo de forma simplista aos dias de hoje, já que Efésios 6.1-9 fala da relação entre escravos e senhores, ao passo que o ambiente de trabalho em que a maioria dos leitores se encontra passa longe dessa realidade. Além disso, o apóstolo se dirige à igreja, não à sociedade de modo geral. Contudo, se o ato de estender a graça de Deus ao outro vale para senhores e escravos, sem a menor sombra de dúvidas vale também para patrões e funcionários.

Fala-se muito hoje sobre a importância de a igreja ser relevante. O Novo Testamento concordaria com tal preocupação. O problema é que via de regra "relevância" é entendido como algum tipo de resultado quantitativo que devemos alcançar. Achamos que *nós* mudaremos o mundo ao realizar obras grandiosas aos olhos das pessoas. O mundo, porém, só pode mudar quando nós mudamos. E nós só mudamos quando o evangelho passa a ser o centro de nossa vida, começando por nosso lar e nossos círculos mais imediatos de relacionamentos.

12
Permanecendo firmes no evangelho: A verdadeira batalha da igreja

Uma palavra final: Sejam fortes no Senhor e em seu grande poder. Vistam toda a armadura de Deus, para que possam permanecer firmes contra as estratégias do diabo. Pois nós não lutamos contra inimigos de carne e sangue, mas contra governantes e autoridades do mundo invisível, contra grandes poderes neste mundo de trevas e contra espíritos malignos nas esferas celestiais.

Portanto, vistam toda a armadura de Deus, para que possam resistir ao inimigo no tempo do mal. Então, depois da batalha, vocês continuarão de pé e firmes. Assim, mantenham sua posição, colocando o cinto da verdade e a couraça da justiça. Como calçados, usem a paz das boas-novas, para que estejam inteiramente preparados. Em todas as situações, levantem o escudo da fé, para deter as flechas de fogo do maligno. Usem a salvação como capacete e empunhem a espada do Espírito, que é a palavra de Deus.

Orem no Espírito em todos os momentos e ocasiões. Permaneçam atentos e sejam persistentes em suas orações por todo o povo santo.

E orem também por mim. Peçam que Deus me conceda as palavras certas, para que eu possa explicar corajosamente o segredo revelado pelas boas-novas. Agora estou preso em correntes, mas continuo a anunciar essa mensagem como embaixador de Deus. Portanto, orem para que eu siga falando corajosamente em nome dele, como é meu dever.

Tíquico lhes dará um relatório completo do que tenho feito e de como tenho passado. Ele é um irmão amado e um colaborador fiel na obra do Senhor. Eu o enviei a vocês com esse propósito, para que saibam como estamos e para animá-los.

A paz seja com vocês, irmãos, e que Deus, o Pai, e o Senhor Jesus Cristo lhes deem amor e fidelidade. Que a graça de Deus esteja eternamente sobre todos que amam nosso Senhor Jesus Cristo.

EFÉSIOS 6.10-24

....

"Nossa raça pode cair em dois erros igualmente graves, mas diametralmente opostos, quanto aos demônios. O primeiro é não acreditar na existência deles. O outro é acreditar que eles existem e sentir um interesse excessivo e doentio por eles. Os demônios ficam igualmente satisfeitos com ambos os erros e saúdam um materialista ou um bruxo com o mesmo prazer." É assim que C. S. Lewis inicia o prefácio de um de seus clássicos, *Cartas de um diabo a seu aprendiz*.[1]

O ponto de Lewis é simples, mas cirúrgico. As forças das trevas ainda estão bem presentes no mundo, e é imperativo que o cristão reconheça essa realidade. Nada pode servir os interesses do mal de forma mais sutil e destrutiva, portanto, do que esses dois enganos: ignorar completamente a existência do mal ou achar que o mal é o centro de nossas atenções. Mas, quando olhamos para a situação do evangelicalismo brasileiro, é impossível não imaginar que todos os dias há uma festa no quinto dos infernos. Pois, se os evangélicos não

[1] C. S. Lewis, *Clássicos selecionados* (Rio de Janeiro: Thomas Nelson Brasil, 2021), p. 195.

ignoram completamente a ação diabólica no mundo, exaltam o diabo a uma posição que nunca lhe pertenceu.

Como será que o Novo Testamento nos ajuda a navegar essa realidade de maneira coerente com o senhorio de Jesus? Se as forças das trevas permanecem exercendo sua influência no mundo em que vivemos, como a igreja é chamada a responder a isso? Cristo ressuscitou; o que isso significa para o modo como devemos enxergar a presença do mal em nosso entorno?

Entre outras coisas, é disso que Paulo tratará na passagem final da Epístola aos Efésios. A última passagem é o desfecho de tudo que Paulo vem dizendo desde o primeiro capítulo de sua carta. E um aspecto importante de Efésios 6.10-20 é que muito do que é dito aqui guarda conexão direta com o que Paulo já afirmou nos primeiros capítulos. Isso fica claro, por exemplo, no paralelo que há entre Efésios 6.10 e 1.19. Em Efésios 6.10, Paulo exorta seus leitores a serem "fortes no Senhor e em seu grande poder". Em Efésios 1.19, o apóstolo orou para que seus leitores pudessem conhecer "a grandeza insuperável do poder de Deus" manifesto na ressurreição de Jesus. Isso indica que essa conclusão que encontramos em Efésios 6.10-24, longe de ser um punhado de pensamentos aleatórios a serem interpretados de forma abstrata e fora do contexto, é na verdade uma espécie de resumo de todas as implicações práticas dos indicativos do evangelho.

Trocando em miúdos, se o que nos fez nova humanidade foi a "a grandeza insuperável do poder de Deus" que ressuscitou Jesus dos mortos, preservar a unidade, amadurecer à imagem de Cristo, imitar a Deus, ser luz no Senhor e viver como testemunhas em casa são realidades que experimentamos com mais profundidade à medida que somos

190 RECRIADOS PELA GRAÇA

fortalecidos "no Senhor e em seu grande poder" que ressuscitou Jesus dos mortos. O ponto é que a vocação que recebemos em Cristo não se concretiza por osmose, de forma passiva ou automática. Ser igreja significa desenvolver uma espécie de "musculatura", o que requer um exercício contínuo — um exercício de fortalecimento de nossa consciência, nossos desejos, nossos amores e nossas decisões à luz do fato de que Jesus está vivo e é o Senhor de todo o universo.

Agora, a pergunta que devemos fazer neste ponto diz respeito a como exatamente se dá esse exercício de fortalecimento no poder da ressurreição de Jesus. E aqui é muito instrutivo que Paulo introduza uma nova metáfora para descrever a identidade da igreja. Ao longo da carta, Paulo valeu-se de várias figuras de linguagem para descrever a identidade do povo de Deus: somos a "obra-prima de Deus", o "corpo de Cristo" e o "templo do Espírito Santo". Nesse desfecho de Efésios, porém, Paulo explica quem somos por meio da imagem de um *exército*. Pois a vida cristã é uma luta. Pertencer à nova humanidade em Cristo significa necessariamente estar engajado em uma guerra. Se você, mesmo tendo lido todos os capítulos deste nosso estudo de Efésios, ainda não percebeu que a vida cristã é uma luta, você provavelmente está muito confortável com o jeito de ser caído do mundo e nunca levou a sério as implicações do que Deus realizou em Cristo. Se em algum momento você colocou em prática os imperativos do evangelho — se se dedicou a preservar o vínculo da paz entre a família na fé, servir aos outros com sua vida, afastar-se da imoralidade sexual, resistir à ganância e à idolatria ao dinheiro, remir o tempo, sujeitar-se aos outros no temor do Senhor, cultivar tanto na igreja como em casa a unidade que Cristo conquistou — sem dúvida descobriu que ser discípulo de Jesus é estar em uma guerra.

De fato, Paulo já tinha falado um pouco sobre isso no capítulo 3: o mistério da vitória de Deus sobre a morte já foi revelado, e nós já estamos nas regiões celestiais com Cristo, mas as forças do caos que povoaram as regiões celestiais com a entrada do pecado no mundo ainda insistem em se colocar em oposição a Cristo e sua igreja. E, embora experimentemos a presença do Espírito sempre que nos reunimos, ainda estamos inseridos em um mundo marcado pelo padrão caído de Gênesis 3. As pessoas que estavam presentes no tumulto causado por Demétrio em Atos 19 denunciavam esse fato. Portanto, ser igreja é estar envolvido em uma luta, porque as trevas ainda exercem sua influência no mundo e militam constantemente contra Deus e seu povo. Estamos em uma batalha, porque estamos em um território ocupado por forças hostis ao Criador do universo. E nós acabamos enfrentando essa realidade tanto no cotidiano, por meio de pequenas tentações ou de pensamentos que nos fazem questionar o caráter de Deus, como também no nível cultural, de *mindset*, por meio dos formadores de opinião, das forças do mercado, dos agentes políticos, daquilo que vemos nos noticiários. É por isso que não é tão simples viver perfeitamente os imperativos do evangelho — não acontece de uma hora para outra.

Neste ponto, porém, precisamos fazer alguns esclarecimentos, já que a passagem em questão é mais uma daquelas muitas que são bem conhecidas, mas ao mesmo tempo bastante distorcidas pelos evangélicos. Quando Paulo fala que estamos envolvidos em uma batalha, ele não defende uma espécie de misticismo pagão, em que agora precisamos

192   RECRIADOS PELA GRAÇA

decifrar onde o capiroto está escondido, exorcizar até mesmo o micro-ondas e deixar de tomar Coca-Cola para evitar "retaliações". Paulo tampouco imagina que pode haver situações em que nem mesmo Deus possa fazer algo para nos socorrer se "dermos brecha ao diabo assistindo à Globo", como se o único herói que pudesse nos ajudar fosse aquele autoproclamado apóstolo à la Chapolin Colorado que sabe pronunciar alguns "encantamentos *gospel*" para nos libertar. Esse tipo de sandice pressupõe uma visão de mundo completamente estranha à Bíblia — que se assemelha muito mais à feitiçaria, embora tenha uma roupagem evangélica — e simplesmente ignora o fato de que Jesus já tem todo o domínio nos céus e na terra, sendo o cabeça de todo o cosmo. E Paulo não defende uma postura triunfalista, como se pudéssemos vencer essa batalha impondo à força na sociedade a nossa maneira de fazer as coisas. Paulo, vale lembrar, escreve como um prisioneiro, deixando muito claro que o nosso modo de agir é diferente do modo de agir violento do mundo.

Em que consiste essa luta, então? E como devemos travá-la? A primeira verdade que precisamos entender é quem é o nosso verdadeiro inimigo: "Pois nós não lutamos contra inimigos de carne e sangue, mas contra governantes e autoridades do mundo invisível, contra grandes poderes neste mundo de trevas e contra espíritos malignos nas esferas celestiais" (6.12). Nossa luta não é contra a latinha de refrigerante, o bichinho de pelúcia do Mickey, o moletom da Peppa Pig, o político da vez, o vizinho entorpecido ou o frequentador do terreiro da esquina. Quer dizer, qualquer pessoa está sujeita a críticas — especialmente quem está em posições de poder e principalmente à luz do evangelho —, e há situações na vida que poderão nos colocar, sim, em sérias tensões com outros indivíduos em nosso entorno. Em última instância, porém, nossa real luta e nosso verdadeiro inimigo não são as pessoas ou as coisas em si, mas as forças maiores e mais sombrias que estão por trás do sistema caído do mundo. Nosso inimigo principal são as forças sombrias do caos, das trevas, que insistem em influenciar os poderosos deste mundo e as pessoas que vivem sem a luz do evangelho, de maneira que estes perpetuem a injustiça, a maldade, a perversão, o caos, a morte, a violência, a inimizade. Nossa luta é contra todo padrão de pensamento, toda vã filosofia, toda crença implícita no que o mundo dá valor hoje, que contradiz o evangelho. Nosso inimigo é toda mensagem que tem cara de beleza, mas que, no final das contas, nos desumaniza, procurando nos convencer de que o caminho da autonomia é melhor que confiar em Deus, de que nossa felicidade está em seguir a última moda, de que a nossa identidade está na opinião das pessoas ou no sucesso segundo os homens, de que está tudo bem colocar-se acima dos outros e enxergar as pessoas como coisas que podemos usar. Enfim, nossa luta é contra qualquer realidade que insista que pode haver vida fora de Cristo.

Contudo, a segunda verdade que precisamos compreender é que essa luta já está vencida. Jesus ressuscitou e já venceu. Aliás, nós, por nós mesmos, jamais seríamos páreo para as forças das trevas. Não existe passe de mágica que possa nos fazer vencedores nessa guerra. Pelo contrário, éramos escravos dessas forças — estávamos mortos em nossas transgressões, completamente rendidos aos poderes do pecado, da morte e do caos —, e só estamos livres e vivos hoje porque Deus tomou a iniciativa de entrar no ringue em nosso lugar e de dar uma surra em nosso inimigo em nosso lugar. A luta

194 RECRIADOS PELA GRAÇA

ainda é real, portanto, somente porque Jesus ainda não consumou plenamente sua vitória. A consumação final acontecerá no último dia, quando até mesmo a morte for colocada debaixo dos pés de nosso salvador (1Co 15.25). Mas a vitória já foi garantida. O túmulo está vazio, e o trono do cosmo já está ocupado.

Segue disso que nossa batalha não é travada por nossas próprias forças ou com nossas próprias armas. Não há número mínimo de horas gastas em oração, jejuns que não passam de greves de fome, repetição de fórmulas mágicas (ainda que utilizando um vocabulário "evangeliquês"), ou estratégias mirabolantes para "destronar" o mal. Essa batalha só existe porque pertencemos àquele que já venceu o mal e a morte, e nós lutamos sob o comando de alguém que já venceu seguindo os passos desse que já venceu (Ap 7.1-17). Há uma trágica ironia nos métodos utilizados por alguns evangélicos, que pensam "amarrar" o diabo, quando na verdade utilizam as mesmas armas dele, replicando métodos da feitiçaria. O que Paulo quer dizer com "sejam fortes no Senhor e em seu grande poder" é entender que o poder não pertence a mais ninguém, senão ao Cristo que já venceu: fortalecer-se no poder de Cristo é exercitar nossa *dependência* no poder absolutamente vitorioso da ressurreição de Cristo.

Consequentemente, o terceiro ponto importante — e esse é o ponto que Paulo destaca com mais clareza aqui — é que nossa postura nessa batalha é simplesmente de *resistência*: "Vistam toda a armadura de Deus, para que possam *permanecer firmes* contra as estratégias do diabo. [...] Portanto, vistam toda a armadura de Deus, para que possam *resistir* ao inimigo no tempo do mal. Então, depois da batalha, vocês *continuarão de pé e firmes*" (6.11,13, grifos meus). Nosso papel nessa guerra não é tentar "conquistar" as trevas com nossas estratégias dignas de jogos de RPG. Nosso papel não é praticar a intolerância religiosa e incendiar templos não cristãos. (Eu mesmo já passei esse ridículo em meu primeiro ano pós-conversão, ao ser convencido de que meus pais se converteriam ao evangelho se eu invadisse, juntamente com um "exército de oração", a paróquia católica a que eles pertenciam. Se o leitor notar um sabor levemente ácido neste capítulo, saiba que o assunto se tornou pessoal demais para mim.) Muito longe disso, nosso papel é tão somente nos mantermos firmes na vitória já adquirida por Jesus. A imagem é de um exército que "mantém o chão", não recua, e assim guarda o que é seu de direito. E é por isso que, nessa parte derradeira de Efésios, Paulo descreve a vocação da igreja em termos de "vestir a armadura de Deus".

No contexto romano, a armadura tinha duas funções: representar a identidade da pessoa como um cidadão romano legítimo (escravos e não cidadãos, por exemplo, não podiam vestir armaduras romanas) e servir de ferramenta básica de defesa em uma luta. Da mesma maneira que um cidadão romano era convocado a representar Roma e a resistir às ameaças dos bárbaros valendo-se de uma armadura, o Corpo de Cristo deve representar os valores do reino de Deus e se manter firme contra as ameaças das trevas vestindo a armadura de Deus.

E o ponto crucial aqui é este: o material que compõe a armadura de Deus é o caráter do próprio Deus. "Assim, mantenham sua posição, colocando o cinto da verdade e a couraça da justiça. Como calçados, usem a paz das boas-novas, para que estejam inteiramente preparados. Em todas as situações, levantem o escudo da fé, para deter as flechas

196 RECRIADOS PELA GRAÇA

de fogo do maligno. Usem a salvação como capacete e empunhem a espada do Espírito, que é a palavra de Deus". Um detalhe que pode muitas vezes passar despercebido é que as qualidades da armadura em Efésios 6.14-17 vêm da descrição do caráter de Deus em Isaías 59.16-17: "Admirou-se porque ninguém se apresentou para ajudar os oprimidos. Então ele mesmo interveio para salvá-los com seu braço forte, e sua justiça o susteve. Vestiu a justiça como armadura e pôs na cabeça o capacete da salvação. Cobriu-se com a túnica da vingança e envolveu-se com o manto do zelo". No contexto de Isaías, o povo havia sofrido o juízo divino como resultado do abandono da aliança, mas Deus anuncia que ele mesmo viria como um guerreiro para estabelecer sua verdade, sua justiça e sua paz. E o Senhor faria isso vestido de uma armadura com essas características. Paulo, então, fala dos componentes de uma armadura para dizer que o que nos faz viver os imperativos do evangelho — o que nos mantém firmes no poder que ressuscitou Jesus dos mortos — é a nossa identificação com o caráter e com os interesses de Deus.

É isso que cada componente da armadura de Deus significa.[2] Essa armadura não diz respeito a uma coisa mágica que nos envolve quando pedimos que Deus nos revista antes de passar do lado de uma oferenda. Interpretar essa passagem através das lentes dos Cavaleiros do Zodíaco ou do Jaspion não nos ajuda a compreender o ponto central das palavras de Paulo. Na verdade, o "cinto da verdade" conota o fato de que é a verdade do evangelho que segura em pé toda nossa identidade. Pensar que podemos

---

[2] Veja mais detalhes em Lincoln, *Ephesians*, p. 447-51; e Cohick, *The Letter to the Ephesians*, p. 623-37.

vestir uma armadura invisível, quando a primeira coisa que fazemos é relativizar a verdade do evangelho e o ensino das Escrituras, é ironia de ironias. A "justiça" de Deus, por sua vez, deve ser nossa "couraça", o item mais visível de nossa vestimenta, uma vez que o interesse de Deus é que seu povo represente sua retidão. O termo grego *dikaiosynē* aqui traduz o hebraico *ṣᵉḏāqâ* de Isaías 59.17 e aponta para o fato de que há uma maneira correta de viver e de tratar as pessoas, à luz da ressurreição de Jesus. O desejo de Deus de colocar todas as coisas em seu devido lugar — interesse esse que ele já cumpriu em Cristo — deve ser a característica mais nítida de quem somos. Os "calçados da paz das boas--novas" representam a mensagem da reconciliação que deve nos mover adiante em nossa missão. Já a "fé", a confiança irrestrita na fidelidade de Deus, deve ser nosso "escudo", o item da armadura que nos protege dos ataques das forças do caos, das acusações e das ansiedades que o diabo sempre tenta semear em nosso coração. E o "capacete da salvação" — da salvação realizada definitivamente em Jesus — deve ser o que protege nossa mente de todo engano pregado pelo mundo. Ser igreja, portanto, é estar engajado nessa luta constante contra os principados e as potestades do mundo, firmado cada vez mais na verdade, na justiça, na paz, na fé e na salvação reveladas no evangelho.

Não é à toa que a única arma de "ataque" nesse equipamento é "a espada do Espírito, que é a palavra de Deus". O que faz nosso trabalho avançar não é ficar virando discos de música ao contrário, mas é a pregação da palavra e de todo o conselho divino nas Escrituras, capacitada pela própria presença do Deus que inspirou o texto sagrado. Aliás, é vital destacar que não existe dicotomia entre a palavra

198 RECRIADOS PELA GRAÇA

de Deus e seu Espírito. A espada do Espírito é a palavra de Deus — há apenas uma espada, não duas. O Espírito Santo age conforme a palavra de Deus, e a palavra de Deus é o que nos ajuda a discernir o agir do Espírito Santo.

Alguns gostam de defender um "equilíbrio" entre a palavra e o Espírito, sugerindo que todos deveríamos ser "meio carismáticos" e "meio tradicionais". Concordo com essa preocupação, pois há de fato muitas igrejas que perderam a sintonia com o que o Espírito deseja realizar nos dias de hoje, ao passo que outras tantas há muito abandonaram as Escrituras como autoridade suprema sobre aquilo em que creem e aquilo que fazem. Na prática, porém, não raro o que acontece é algo bem diferente: buscam apenas manifestações estranhas — e, por vezes, quanto mais estranhas, mais "espirituais" — e justificam tais fenômenos com versículos pinçados fora do contexto para fornecer a tal da "base bíblica". Ou seja, o "equilíbrio" é apenas aparente, pois na verdade é a experiência que assume autoridade suprema sobre a fé. E, para isso, trazem à conversa Mateus 22.29, em que Jesus repreende os saduceus por sua ignorância tanto das Escrituras como do poder de Deus: "O erro de vocês está em não conhecerem as Escrituras nem o poder de Deus".

Todavia, o ponto de Jesus nessa passagem do Evangelho não é afirmar a importância de receber "mistérios" da parte de Deus e, simultaneamente, ler a Bíblia nas línguas originais, como se fossem atividades complementares de igual importância. Já ouvi vários evangélicos me dizerem com todas as letras, por exemplo, que "a Bíblia não é suficiente" — e que, portanto, precisamos buscar novas revelações por meio de "sonhos e visões" —, pois Jesus mesmo ensinou sobre a necessidade "das Escrituras e do poder de Deus". Mas a

PERMANECENDO FIRMES NO EVANGELHO **199**

questão em Mateus 22 é a incredulidade dos saduceus quanto à ressurreição dos mortos: se conhecessem a Bíblia e a capacidade de Deus, saberiam que Yahweh pode agir de acordo com suas promessas registradas nos escritos sagrados de restaurar todas as coisas. Afinal, Deus é "Deus dos vivos, e não dos mortos" (Mt 22.32). E o detalhe é que Jesus alude à Bíblia, não a revelações "novas", para sustentar seu argumento: "Agora, quanto a haver ressurreição dos mortos, vocês não leram a esse respeito nas Escrituras? Deus disse: 'Eu sou o Deus de Abraão, o Deus de Isaque e o Deus de Jacó'" (Mt 22.31-32).

Mais uma vez esclareço, antes que me interpretem mal: tendo sido encontrado pelo Senhor em um contexto carismático, não somente creio na contemporaneidade da ação do Espírito Santo, com todas as peculiaridades que podem estar envolvidas nesse processo, como também afirmo a necessidade de uma vida imersa na presença de Deus. Em Efésios, uma das implicações mais importantes de sermos templo do Espírito é o chamado para que sejamos cheios desse mesmo Espírito. A questão é que a palavra de Deus — a revelação normativa de Deus nas Escrituras — é o único ponto de equilíbrio e marco de referência a partir do qual podemos discernir o que o Espírito deseja realizar por nosso intermédio. Assim como as Escrituras têm a prerrogativa de julgar até mesmo a tradição, elas estão sempre acima de qualquer experiência que os cristãos possam alegar ter. Portanto, devemos, sim, defender um equilíbrio entre o conhecimento teológico e a possibilidade de vivenciar a ação tangível de Deus, desde que o centro gravitacional desse equilíbrio seja a própria palavra de Deus, em discordância com a qual o Espírito de Deus nunca age. Nesse contexto em que Paulo discorre sobre a armadura de Deus, o papel do Espírito é nos

200 RECRIADOS PELA GRAÇA

ajudar a manusear a palavra com fidelidade, respeitando o que o texto afirma ou não, e a proclamá-la com intrepidez e relevância. É coerente com a palavra que caminhemos em fina sintonia com o Espírito, e é do interesse do Espírito que sejamos bons exegetas bíblicos. Palavra e Espírito compõem a mesma espada.

À luz dessas realidades, é mais que apropriado encerrarmos esta jornada por Efésios perguntando que traje temos vestido. O que será que tem segurado nossa identidade? A verdade de Deus? Será que a justiça de Deus tem sido de fato nossa couraça? O que temos promovido em nossas andanças para além dos domingos: o evangelho da paz ou o antievangelho da polarização política? Como temos respondido aos nossos medos e às ansiedades da vida: com confiança e obediência no amor e da soberania de Cristo, ou construindo bezerros de ouro na ânsia por respostas rápidas? E o que tem ocupado nossos pensamentos: "subir na vida" ou a salvação que Cristo realizou por nós, quando não passávamos de cadáveres?

Pode ser que, diante dessas perguntas, nós nos percebamos mal equipados para a guerra. Mas aqui está um detalhe que explica por que fraquejamos tanto na caminhada cristã: a armadura de Deus não é você (nem sou eu) quem veste de forma solitária; quem veste a armadura de Deus somos nós, a igreja, em comunidade. A própria imagem da armadura proíbe uma aplicação individualista, pois os leitores originais de Paulo sabiam que ninguém é capaz de vestir uma armadura romana sozinho. Assim, é muito provável que tenhamos tanta dificuldade na batalha que é a vida cristã porque ainda não entendemos que a armadura de Deus é vestida por todos nós, juntos. Nós só conseguimos crescer nos indicativos do evangelho e praticar os imperativos do evangelho quando somos igreja, quando vivemos a realidade de que somos o Corpo de Cristo. Deus não chamou ninguém a ser um cavaleiro solitário. Nós fazemos parte de um exército. Repito o que já disse em outro lugar: *eu* não sou a igreja, *você* não é a igreja — *nós* somos a igreja.[3]

Por essa razão, Paulo encerra essa maravilhosa exposição do evangelho e do significado de ser igreja enfatizando mais uma vez a centralidade da oração uns pelos outros: "Orem no Espírito em todos os momentos e ocasiões. Permaneçam atentos e sejam persistentes em suas orações por todo o povo santo. E orem também por mim. Peçam que Deus me conceda as palavras certas, para que eu possa explicar corajosamente o segredo revelado pelas boas-novas. Agora estou preso em correntes, mas continuo a anunciar essa mensagem como embaixador de Deus. Portanto, orem para que eu siga falando corajosamente em nome dele, como é meu dever" (6.18-20). Até mesmo Paulo, o grande apóstolo aos gentios, autor de partes importantes do Novo Testamento, que viu o Cristo ressurreto no caminho de Damasco e plantou inúmeras igrejas pelo Império Romano, reconhecia sua total dependência na participação dos santos em sua vida por meio da oração.

Há muito mais que poderíamos mencionar sobre esta passagem — e, de fato, sobre Efésios de modo geral —, mas prefiro encerrar com o seguinte lembrete: nossos encontros dominicais não servem para oferecer uma mensagem motivacional, manter as pessoas entretidas ou dar conselhos de como obter sucesso na vida. A igreja deve se enxergar como

---

[3] Cho, *O enredo da salvação*, p. 174.

uma comunidade que cultiva a saúde e a maturidade de seus membros como povo de discípulos de Jesus: a igreja é a humanidade recriada pela graça, que veste a armadura de Deus, se fortalece no poder que ressuscitou Jesus dos mortos, resiste ao mal e continua a cumprir sua vocação como imitadores de Deus. Que Deus nos ajude, então, a sermos um povo que sempre se define pela verdade, pela justiça, pela paz, pela fé e pela salvação que já temos em Cristo. E "que a graça de Deus esteja eternamente sobre todos que amam nosso Senhor Jesus Cristo" (6.24).

Sobre o autor

Bernardo Cho é graduado em Comunicação Social pela Escola Superior de Propaganda e Marketing, mestre em Divindade pelo Seminário Teológico Servo de Cristo, mestre em Novo Testamento pelo Regent College, no Canadá, e PhD em Linguagem, Literatura e Teologia do Novo Testamento pela Universidade de Edimburgo, na Escócia. É professor de Novo Testamento e Teologia Bíblica no Seminário Servo de Cristo, onde também coordena o programa de Estudos Doutorais em Ministério e o Curso Básico de Capacitação Ministerial. É pastor da Igreja Presbiteriana do Caminho e autor de *O enredo da salvação* e *Trabalho, propósito e descanso*, publicados pela Mundo Cristão.

Do mesmo autor:

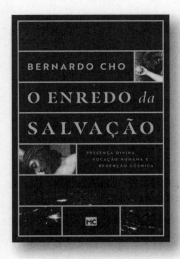

A leitura individualista e fragmentada do texto bíblico tem impedido aos cristãos uma compreensão mais abrangente de sua fé e de seu papel como cidadãos do reino. Além disso, reduzir a experiência religiosa a um mero carimbo no passaporte para o céu desvia o foco do fato de que o interesse de Deus não se resume apenas ao indivíduo, mas abrange toda a criação.

Nesse sentido, Bernardo Cho convida o leitor e a leitora a refletirem sobre o todo das Escrituras, a fim de perceberem a unidade presente no enredo da salvação. À medida que a grande história é contada, uma visão mais completa e ainda mais magnífica do Criador é revelada, com implicações imediatas sobre nossa vocação e nosso envolvimento no mundo.

Do mesmo autor:

O que é o trabalho? Um mal necessário? Um castigo? Fonte de realização? Bernardo Cho propõe uma visão abrangente do sentido do trabalho, relacionando-o ao conceito bíblico de *shalom*. Ele defende que o trabalho é o espaço onde o reino de Deus se manifesta até a consumação da nova criação. Nessa perspectiva, somos um povo que crê em um Deus criador que ainda trabalha e nos percebe como cooperadores em sua obra.

Ao compreender as raízes bíblicas do trabalho, Bernardo mostra sua valorização como expressão do chamado divino e destaca também a necessidade do descanso.
É na composição desse equilíbrio que compreendemos que o sucesso no trabalho não é expresso pelo pagamento recebido, mas pelo sentimento de realização como ajudadores do nosso Deus.

Compartilhe suas impressões de leitura,
mencionando o título da obra, pelo e-mail
opiniao-do-leitor@mundocristao.com.br
ou por nossas redes sociais

Esta obra foi composta com tipografia Palatino e
impressa em papel Pólen Natural 70 g/m² na gráfica Imprensa da Fé